seu cérebro nunca envelhece

1101010111101010111010110000101010001111010100011
0111010101111010101111101010011110101001111101011
0100001010111000101011101010100010110011100010100
1010101001001101011110001011001010111010100010101
1001010111010101010001010101110101010011101011010
0101010101010101010101010101010101010101010101010
0101010101010101010101010101010101010101010101010
1010101010101010101010101010101010101010101010100
0111101011111110001010111101011111010101110101011
1101010111101010111010110000101010001111010100011
0111010101111010101111101010011110101001111101011
0100001010111000101011101010100010110011100010100
1010101001001101011110001011001010111010100010101
1001010111010101010001010101110101010011101011010
0101010101010101010101010101010101010101010101010
0101010101010101010101010101010101010101010101010
1010101010101010101010101010101010101010101010100
0111101011111110001010111101011111010101110101011
1101010111101010111010110000101010001111010100011
0111010101111010101111101010011110101001111101011
0100001010111000101011101010100010110011100010100
1010101001001101011110001011001010111010100010101
1001010111010101010001010101110101010011101011010
0101010101010101010101010101010101010101010101010
0101010101010101010101010101010101010101010101010
1010101010101010101010101010101010101010101010100
0111101011111110001010111101011111010101110101011
1101010111101010111010110000101010001111010100011
0111010101111010101111101010011110101001111101011
0100001010111000101011101010100010110011100010100
1010101001001101011110001011001010111010100010101
1001010111010101010001010101110101010011101011010
0101010101010101010101010101010101010101010101010
0101010101010101010101010101010101010101010101010
1010101010101010101010101010101010101010101010100
0111101011111110001010111101011111010101110101011
1101010111101010111010110000101010001111010100011
0111010101111010101111101010011110101001111101011

seu CÉREBRO nunca ENVELHECE

Descubra como você pode desenvolver todo o seu potencial

Dr. Richard Restak

tradução:
Dinah de Abreu Azevedo

Editora Gente

Editor
Rosely M. Boschini

Assistente editorial
Rosângela Barbosa

Projeto gráfico e produção
Marcelo S. Almeida

Preparação
Clara Baldrati

Revisão
Alessandra J. Gelman Ruiz

Capa e diagramação
W-design

Impressão e acabamento
Paulus Gráfica

Título original: *The New Brain*

Publicado por acordo com Rodale Inc., Emmaus, PA, U.S.A.

Rua Pedro Soares de Almeida, 114
São Paulo, SP - CEP 05029-030, telefone: (11) 3670-2500
Site: http://www.editoragente.com.br
E-mail: gente@editoragente.com.br

Dados Internacionais de Catalogação na Publicação (CIP)
(Câmara Brasileira do Livro, SP, Brasil)

Restack, Richard
Seu cérebro nunca envelhece : Descubra como você pode desenvolver todo o seu potencia / Richard Restack ; tradução Dinah de Abreu Azevedo. — São Paulo : Editora Gente, 2006.

Título original: The New Brain: how to modern age is rewiring your mind.
Bibliografia.
ISBN 85-7312-482-2

1. Cérebro - Fisiologia 2. Cérebro - Obras de divulgação 3. Comportamento humano 4. Neurociências - Obras de divulgação I. Título.

05-8771 **CDD-612.82**

Índices para catálogo sistemático:
1. Cérebro : Neurofisiologia : Obras de divulgação 612.82

Para minha mulher, Carolyn

11010101110101011101011000010101000111101010001
011101010111101010111110101001111010100111110101
01000010101110001010111010101000101100111000101
101010100100110101111000101100101011101010001010
100101011101010101000101010111010101001110101101
010101010101010101010101010101010101010101010101
01010101010101010101010101010101010101010101010
10101010101010101010101010101010101010101010101
01111010111111000101011110101111101010111010101
11010101110101011101011000010101000111101010001
011101010111101010111110101001111010100111110101
01000010101110001010111010101000101100111000101
101010100100110101111000101100101011101010001010
100101011101010101000101010111010101001110101101
010101010101010101010101010101010101010101010101
01010101010101010101010101010101010101010101010
10101010101010101010101010101010101010101010101
01111010111111000101011110101111101010111010101
11010101110101011101011000010101000111101010001
011101010111101010111110101001111010100111110101
01000010101110001010111010101000101100111000101
101010100100110101111000101100101011101010001010
100101011101010101000101010111010101001110101101
010101010101010101010101010101010101010101010101
01010101010101010101010101010101010101010101010
10101010101010101010101010101010101010101010101
01111010111111000101011110101111101010111010101
11010101110101011101011000010101000111101010001
011101010111101010111110101001111010100111110101
01000010101110001010111010101000101100111000101
101010100100110101111000101100101011101010001010
100101011101010101000101010111010101001110101101
010101010101010101010101010101010101010101010101
01010101010101010101010101010101010101010101010
10101010101010101010101010101010101010101010101
01111010111111000101011110101111101010111010101
11010101110101011101011000010101000111101010001
011101010111101010111110101001111010100111110101

AGRADECIMENTOS

Agradeço às seguintes pessoas pelas discussões, sugestões e críticas construtivas: Paul Bach-y-Rita, Thomas H. Carr, K. Anders Ericsson, Jordan Grafman, Joshua D. Greene, Pat Kuhl, Daniel Langleben, Jonathan Mann, Marina Nakic, V.S. Ramachandran, Mriganka Sur, Daniel Tranel e Ronald Van Heertum e, em particular, a meu editor, Troy Juliar, e ao meu agente literário, Sterling Lord.

"Será que o uso constante da inteligência muda gradualmente a estrutura material do cérebro, como acontece, por exemplo, com os músculos, que ficam mais fortes se exercitados com freqüência? Não é improvável, embora não seja fácil demonstrar essa hipótese com o bisturi."

Samuel Thomas Soemmering, 1791

SUMÁRIO

Capítulo 5

Capítulo 6

Capítulo 7

Capítulo 8

Capítulo 9

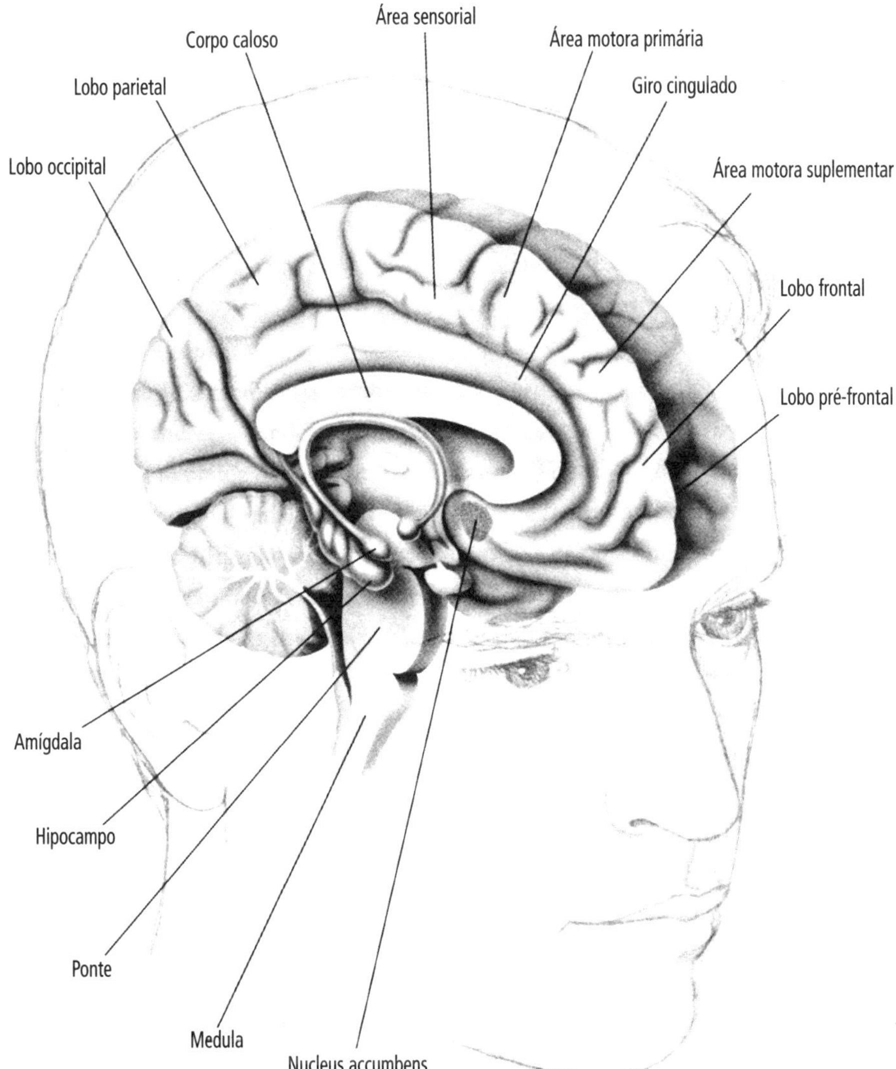
Área sensorial
Corpo caloso
Área motora primária
Giro cingulado
Lobo parietal
Lobo occipital
Área motora suplementar
Lobo frontal
Lobo pré-frontal
Amígdala
Hipocampo
Ponte
Medula
Nucleus accumbens

11101010111101010111010110000101010001110101000
10111010101111010101111101010011110101001111010
10100001010111000101011101010100010110011100010
110101010010011010111100010110010101110101000101
010010101110101010100010101011101010100111010110
101010101010101010101010101010101010101010101010
10101010101010101010101010101010101010101010101
01010101010101010101010101010101010101010101010
10111101011111100010101111010111110101011101010
11101010111101010111010110000101010001110101000
10111010101111010101111101010011110101001111010
10100001010111000101011101010100010110011100010
110101010010011010111100010110010101110101000101
010010101110101010100010101011101010100111010110
101010101010101010101010101010101010101010101010
10101010101010101010101010101010101010101010101
01010101010101010101010101010101010101010101010
10111101011111100010101111010111110101011101010
11101010111101010111010110000101010001110101000
10111010101111010101111101010011110101001111010
10100001010111000101011101010100010110011100010
110101010010011010111100010110010101110101000101
010010101110101010100010101011101010100111010110
101010101010101010101010101010101010101010101010
10101010101010101010101010101010101010101010101
01010101010101010101010101010101010101010101010
10111101011111100010101111010111110101011101010
11101010111101010111010110000101010001110101000
10111010101111010101111101010011110101001111010
10100001010111000101011101010100010110011100010
110101010010011010111100010110010101110101000101
010010101110101010100010101011101010100111010110
101010101010101010101010101010101010101010101010
10101010101010101010101010101010101010101010101
01010101010101010101010101010101010101010101010
10111101011111100010101111010111110101011101010
11101010111101010111010110000101010001110101000
10111010101111010101111101010011110101001111010

INTRODUÇÃO

Descobrimos tanta coisa sobre o cérebro humano nas duas últimas décadas que seria justo dizer que houve uma mudança revolucionária em nossa maneira de vê-lo. A era do *Cérebro Antigo* está dando lugar à do *Novo Cérebro.*

O Cérebro Antigo era distante e misterioso, escondido nas profundezas do crânio e inacessível, exceto a especialistas suficientemente ousados para perfurar suas três camadas protetoras. Por causa dessa inacessibilidade e dos riscos envolvidos no mergulho em seus recessos, os estudiosos não sabiam muita coisa sobre o funcionamento do cérebro normal e procuraram em vão respostas para perguntas difíceis como: "De que modo o cérebro se relaciona com nossos pensamentos, emoções e comportamentos da vida cotidiana?"

Por outro lado, o Novo Cérebro não requer invasões perigosas: agora pode ser descrito com o uso de técnicas sofisticadas de obtenção de imagens oferecidas pelos computadores, com abreviaturas como TAC (tomografia axial computadorizada), TEP (tomografia de emissão positrônica), IRM (imagem de ressonância magnética) e ARM (angiograma de ressonância magnética). Essas técnicas revelam detalhes operacionais muito sutis e abrem janelas através das quais os neurocientistas (os especialistas que estudam o cérebro) podem ver diferentes aspectos do cérebro em funcionamento sem abrir o crânio nem realizar outros procedimentos arriscados.

Graças ao desenvolvimento dessas tecnologias de criação de imagens por computador, hoje a ciência do cérebro tem condições de nos dar vislumbres da mente humana que há poucas décadas teriam sido considerados pura ficção científica. Agora é possível estudar o cérebro em "tempo real" quando estamos pensando, fazendo um teste de QI, criando uma obra de arte, sentindo uma emoção ou tomando uma decisão. Os testes cerebrais podem até indicar quando alguém está falando a verdade, além de proporcionar uma estimativa de nossa inteligência e capacidades individuais.

Os neurocientistas chamam esse novo campo de ciência cognitiva: o estudo dos mecanismos do cérebro responsáveis por nossos pensamentos, emoções, decisões e atos. A cognição tem sido definida como "a capacidade do cérebro e do sistema nervoso de registrar, identificar e agir em função de estímulos complexos". Mais informalmente, a cognição designa tudo aquilo que acontece em nosso cérebro e nos ajuda a conhecer o mundo. Aqui estão incluídas atividades mentais como estado de alerta, concentração, memória, raciocínio, criatividade e experiências emocionais.

Na era do Novo Cérebro, a ênfase está passando das doenças e disfunções para a compreensão do cérebro do homem e da mulher comuns. Esse novo enfoque traz uma conseqüência maravilhosa: a pesquisa pode nos dar diretrizes úteis para a vida cotidiana. Por exemplo: descobertas recentes (discutidas no capítulo 1) indicam que, seguindo certas diretrizes com base no funcionamento do cérebro, qualquer pessoa pode chegar a um desempenho excepcional nos esportes, na ginástica e na vida acadêmica. É claro que essas descobertas questionam a teoria tradicional de que os grandes atletas e os gênios nascem feitos, e de que nossos genes e outros fatores fora de nosso controle impõem limites às capacidades individuais. Mas essa teoria não foi comprovada. Agora está claro que, se conhecermos e aplicarmos essa nova pesquisa, a maioria de nós poderá esperar um grau de realização pessoal muito superior ao que temos hoje.

Outro exemplo: agora há bons motivos para se acreditar, com base nessa pesquisa, que a exposição freqüente a cenas de violência pode acarretar efeitos danosos em nosso cérebro. Além disso, parece não fazer diferença se a violência é produto da ficção, da vida real ou uma combinação de ambas, como nos documentários misturados com ficção que mostram violência baseada em fatos reais. Assistir a cenas de violência na mídia altera o cérebro de forma lesiva, algo que só muito recentemente começamos a entender.

Embora este não pretenda ser um livro de auto-ajuda, acredito que boa parte da pesquisa cerebral contemporânea oferece aplicações práticas que podem ser utilizadas na vida cotidiana. Vou discutir essa pesquisa em detalhe, para você ter condições de concluir por si mesmo se essas aplicações práticas fazem sentido na sua vida pessoal. Foram incluídas aqui áreas fascinantes da cognição, tais como:

- Compreensão dos efeitos da mídia e da tecnologia sobre os pensamentos e as emoções;
- Estimativa dos efeitos do estresse sobre o funcionamento do cérebro, com ênfase no uso de instrumentos sofisticados que podem ajudar a prever que pessoas correm maior risco de sofrer danos;
- Formulação de novas maneiras de analisar as variações em torno do comportamento normal, como o distúrbio de déficit de atenção e hiperatividade (DDAH) e o transtorno obsessivo-compulsivo (TOC);
- Desenvolvimento de métodos para melhorar nossa capacidade sensorial por meio do controle dos mecanismos cerebrais envolvidos na transmissão de informações de um canal sensorial para outro, como a transformação de impressões de tato em formas de percepção visual.

As descobertas do século XXI relativas ao cérebro nos darão uma nova compreensão de nossas atitudes, pensamentos e emoções. Graças às conquistas tecnológicas, os neurocientistas já estão conseguindo relacionar a função cerebral com a personalidade, desenvolver "drogas personalizadas" para tratamentos individualizados de pacientes que sofrem de depressão, ansiedade e outros distúrbios neuropsiquiátricos e associar genótipos defeituosos a comportamento violento ou anti-social. Graças a esses avanços e à promessa de outros ainda maiores no futuro próximo, parece correto dizer que a tecnologia, e não a biologia, vai desempenhar o papel principal na evolução do cérebro humano. No decorrer deste livro, meu objetivo é apresentar uma visão geral das mudanças que podemos esperar na era do Novo Cérebro.

Capítulo 1

A PLASTICIDADE DO CÉREBRO

Sua cabeça muda todo dia

Por trás da nossa compreensão do novo cérebro existe um conceito fundamental: a plasticidade. Basicamente, a plasticidade é a capacidade de mudança do cérebro. Há muito pouco tempo, a maioria dos neurocientistas acreditava que o cérebro perdia a maior parte de sua plasticidade na adolescência ou, no mais tardar, no início da vida adulta. A essa altura, o cérebro consolida sua estrutura e função — ao menos era o que muitos achavam. Mas acabamos descobrindo que esse pressuposto também estava errado.

Agora sabemos que nosso cérebro não é limitado por considerações aplicáveis a máquinas. Os fatores determinantes da saúde do cérebro são os pensamentos, as emoções e os atos, e não as leis mecânicas. Além disso, hoje sabemos que o cérebro nunca perde a capacidade de se transformar com base na experiência, e que essa transformação pode ocorrer em intervalos muito pequenos. Por exemplo: hoje nosso cérebro é diferente do que era ontem. Essa diferença resulta dos efeitos que as experiências de ontem e de hoje promoveram no cérebro, bem como dos pensamentos e emoções que tivemos nas últimas 24 horas. Lembre-se também de que o cérebro humano é uma obra em andamento, uma obra que dura a vida inteira, e ele preserva sua plasticidade — a capacidade de mudança — enquanto o "dono" estiver vivo.

Embora seja fácil observar a plasticidade no bebê e na criança (um cérebro cada vez maior, evidenciado por crescente complexidade na atividade de seus hemisférios, acompanhada de um repertório comportamental cada vez mais sofisticado), a constatação dessa capacidade em adultos requer um instrumental mais sutil. O exame do cérebro de uma pessoa de 20 anos não mostra muitas diferenças com o de alguém com algumas décadas a mais nas costas. Portanto, a avaliação da plasticidade depende do uso competente da obtenção de imagens neurológicas.

OS ELEMENTOS BÁSICOS DA TECNOLOGIA DE CRIAÇÃO DE IMAGENS

Em geral, é bom dividir as tecnologias de obtenção de imagens em duas categorias: aquelas que revelam detalhes anatômicos — como a estrutura do cérebro, por exemplo — e as que informam sobre a função — isto é, mostram o que está acontecendo realmente no cérebro. Pense nisso da seguinte maneira: você está lendo este livro num quarto que pode ser representado por suas dimensões "anatômicas" (altura, largura etc.), mas uma descrição completa incluiria elementos funcionais: a iluminação do ambiente, os ruídos de fundo, a temperatura do cômodo, as distrações próximas etc. As técnicas de obtenção de imagens cerebrais também são assim: basicamente anatômicas ou funcionais.

Graças às técnicas de obtenção de imagens, agora podemos explorar o que está acontecendo realmente no cérebro durante as atividades do dia-a-dia. Imagine, por exemplo, o aprendizado de algo. Por enquanto, vamos nos limitar a um processo relativamente simples, como a aprendizagem de uma seqüência elementar de movimentos com os dedos. No começo, é provável que os movimentos sejam feitos com lentidão; mas, com a prática, o desempenho melhora, até os movimentos serem executados com um mínimo de esforço. O que está ocorrendo no cérebro durante o aprendizado dessa seqüência?

Para descobrir, Leslie G. Ungerleider, chefe do laboratório do cérebro e da cognição dos Institutos Nacionais de Saúde, nos Estados Unidos, obteve imagens de ressonância magnética funcional em voluntários uma vez por semana enquanto aprendiam uma seqüência de movimentos com os dedos. Depois de três a quatro semanas de aprendizagem, a pesquisadora conseguiu perceber mudanças nos padrões de atividade em três partes consecutivas do cérebro: o córtex pré-frontal, responsável pela intenção de realizar os movimentos; o córtex motor secundário, que organiza a seqüência e a coordenação dos músculos envolvidos na realização dos movimentos; e o córtex motor primário, que dá as "ordens" para os movimentos serem feitos. Essa progressão, diga-se de passagem, está de acordo com o princípio geral de funcionamento do cérebro: a criação de programas de ação (por meio do córtex pré-frontal e do córtex motor secundário), seguida de sua realização propriamente dita (pelo córtex motor primário).

Ungerleider supõe que, durante os períodos de treinamento, novos neurônios sejam recrutados para participar da rede neurológica responsável pela seqüência de movimentos. No começo, só alguns neurônios estão envolvidos no processo; outros mais entram em cena com a prática freqüente. O mais interessante de tudo é que essas alterações cerebrais podem ser identificadas um ano depois, mesmo que a prática tenha sido interrompida.

SE VOCÊ VIU UM MACACO, JÁ VIU TODOS ELES

Logo adiante vamos examinar a formação dos programas motores para tarefas mais complexas, como atividades atléticas ou musicais; mas, por ora, vamos nos ater a uma esfera mais corriqueira.

Você se lembra das dificuldades que teve no ensino médio ao tentar aprender uma segunda língua? Bem, esses obstáculos podem ser explicados neurologicamente: os sons (fonemas) dessa segunda língua entram em competição direta com os de seu idioma corrente, codificados nos circuitos do cérebro durante muitos anos. Para se tornar fluente em outra língua, o cérebro tem de criar circuitos totalmente novos.

Embora a formação de novos circuitos possa ocorrer a qualquer momento de sua vida, esse processo fica mais difícil à medida que você envelhece. O fato é que o cérebro consegue codificar melhor e mais facilmente os fonemas das diferentes línguas durante os primeiros anos de vida. Na verdade, nascemos com a capacidade de entender e falar qualquer idioma! Os cientistas sabem disso por causa de alguns experimentos engenhosos realizados com bebês.

Num deles, um neurocientista acomoda um aparelho com vinte eletrodos na cabeça de um bebê para detectar a atividade elétrica do cérebro. Com o aparelho no lugar, o bebê ouve em segundo plano os sons de várias línguas, enquanto o pesquisador acompanha os desenhos criados por suas ondas cerebrais. Quando são mudados os sons de uma língua para outra, os eletrodos identificam alterações nas ondas elétricas do cérebro. Essas mudanças acontecem mesmo em relação a idiomas que os pais não sabem falar e o bebê nunca escutou antes. Aos poucos, o bebê perde essa capacidade extraordinária de perceber as variações de todas as línguas, exceto as presentes na que ouve todos os dias.

A pesquisadora Pat Kuhl, do departamento das ciências da fala e da audição da Universidade de Washington, em Seattle, demonstrou que os bebês japoneses conseguem discriminar facilmente os sons *r* e *l* do inglês americano, como nas palavras *rook* e *look*. Por outro lado, os japoneses adultos têm grande dificuldade em distinguir esses dois sons (não existe som de *l* em sua língua). Depois do primeiro ano de vida, a criança perde essa capacidade, conforme mostram as medidas das ondas cerebrais, que não variam mais quando um som de *l* é seguido por um *r,* e vice-versa. Isso acontece porque o bebê começa a processar somente o idioma falado por seus pais. Se não houver uma exposição prolongada a outra língua, os bebês perderão a capacidade de identificar diferenças sonoras cruciais entre o idioma materno e os outros.

No entanto, segundo James McClelland, professor de ciência da computação e psicologia da Universidade Carnegie Mellon, de Pittsburgh, os japoneses adultos podem readquirir essa capacidade. É preciso apenas expor o ouvinte a versões exageradas dos diversos sons. Nos experimentos de McClelland, a capacidade de japoneses adultos distinguirem palavras que começam com *r* e *l* melhorou depois de apenas três sessões de 20 a 25 minutos realizadas em três dias. O exercício promoveu a ativação de uma população distinta de neurônios, processo acompanhado de gradual fortalecimento de suas conexões.

Algo semelhante ocorre com o reconhecimento de um rosto. Aos 6 meses de idade, os bebês conseguem sair-se tão bem quanto os adultos quando se trata de distinguir rostos novos de outros já vistos. O interessante é que, aos 9 meses, os bebês saem-se melhor ainda que os adultos na hora de identificar rostos de macacos que nunca viram. Os neurocientistas descobriram isso observando bebês de 6 e 9 meses enquanto eles olhavam para o retrato de um novo rosto de macaco. Os bebês de 6 meses olharam por mais tempo para os rostos novos, dando a entender que estavam diante de algo completamente desconhecido. Por outro lado, os de 9 meses olharam para os rostos novos e antigos durante o mesmo intervalo de tempo, o que se poderia muito bem resumir na seguinte frase: "Se você viu um macaco, já viu todos eles".

Como no caso do reconhecimento de sons, identificar um rosto é um processo de duas etapas. Primeiro vem um período de sintonização, no qual os traços de outra espécie são distinguidos com facilidade. Depois vem a etapa da especialização, que permite o discernimento de rostos de indivíduos de uma mesma espécie — entre diferentes rostos de gente ou de macacos, por exemplo. À medida que amadurecem, os bebês encontram muitos rostos humanos, mas raramente vêem rostos de macacos. Mas, como mostram as descobertas de McClelland, os adultos podem recuperar esse talento por meio de exercício e experiência. Uma pessoa que trabalha num centro de primatas ou num zoológico aprende a distinguir rapidamente um rosto de macaco de outro. Além disso, essa capacidade de reconhecimento facial de outras espécies não se limita aos macacos. Os fazendeiros distinguem uma vaca da outra, os criadores de cavalos dificilmente vão torcer por um cavalo rival durante uma corrida, e, quando levo meu papagaio africano ao veterinário para que cortem suas asas, é fácil para mim identificar o meu de outros pássaros que vejo no consultório, mesmo sabendo que eles parecem todos iguais para quem não tem um papagaio.

A pesquisa de reconhecimento de línguas e rostos feita com bebês ajuda-nos a entender o que acontece no cérebro enquanto ele amadurece. À medida que o cérebro vai se especializando (reconhecendo rostos humanos com base na experiência, por exemplo), neurônios que antes estavam à disposição para o reconhecimento de uma grande quantidade de rostos são recrutados para os circuitos destinados a identificar apenas rostos humanos. Depois, esses circuitos são consolidados com a repetição, de modo que o reconhecimento de rostos humanos entra no plano da sintonia fina. O mesmo processo acontece com a fala: neurônios antes destinados ao reconhecimento dos sons de muitas línguas são recrutados para o reconhecimento exclusivo dos sons da língua materna.

Esse princípio geral de consolidação ou reforço por meio da repetição tem aplicações práticas na vida cotidiana. Por exemplo: se você quer aprender algo ou utilizar um novo conhecimento, tem de alterar seu cérebro. Tem de fazer exercícios de repetição que criam os circuitos relevantes e aprimoram sua expressão. Isso se aplica a qualquer objetivo e a qualquer grau de domínio que você queira alcançar.

Capítulo 2

GENIALIDADE E INTELIGÊNCIA SUPERIOR

Será que todos as temos?

Parece que as pessoas com dons extraordinários aprenderam a usar o cérebro de maneira diferente do indivíduo comum. Pense nos grandes mestres do xadrez, por exemplo.

As mensurações da atividade cerebral durante uma partida de xadrez revelam que os grandes mestres ativam o córtex frontal e o parietal, duas áreas do cérebro que sabemos estarem envolvidas com a memória de longo prazo. Por outro lado, os amadores habilidosos ativam os lobos temporais mediais, vinculados à codificação de informações novas. Essa ativação preferencial dos córtices frontal e parietal dos grandes mestres — que decoraram milhares de movimentos ao longo da vida — sugere que eles contam com a memória de longo prazo tanto para reconhecer posições e problemas quanto para encontrar soluções. Por outro lado, o uso do lobo temporal medial dos amadores indica uma estratégia menos eficiente de análise — na base do estudo de um caso por vez — como a melhor resposta a jogadas e posições desconhecidas até então.

Em outras palavras, os conhecimentos especializados do mestre de xadrez envolvem o armazenamento — no lobo frontal — de vastas quantidades de informações sobre o jogo, um processo que leva muito tempo e requer trabalho árduo. Em geral, os campeões gastam no mínimo dez anos acumulando no cérebro mais ou menos 100 mil informações sobre o xadrez (manobras de abertura, estratégias, finais de jogo etc.). Graças a esse estoque de dados, o mestre avalia rapidamente o acerto e as conseqüências potenciais — muitas jogadas à frente — de determinado movimento. Essa capacidade é um dos motivos pelos quais o jogo de grandes mestres contra um bom amador sempre melhora sob a pressão do tempo, quando as decisões devem ser tomadas logo. "Eles não têm de pensar: estão reconhecendo possibilidades", diz Ognjen Amidzic, pesquisador que fez estudos com notáveis enxadristas.

Nesse caso, será que só memorizar um número maior de jogadas e aprofundar os conhecimentos do xadrez transformaria um amador como você num grande mestre? Não necessariamente. O talento do grande mestre não depende só da quantidade de informações sobre o jogo estocadas na memória de longo prazo, mas da organização dessas lembranças e da eficiência com que podem ser acessadas. Em resumo, o grande enxadrista tem de pôr sua memória de longo prazo à disposição das necessidades do momento.

Gênios de outros campos que não o xadrez têm capacidade semelhante de estocar grandes quantidades de informação na memória de longo prazo e depois acessar esses dados de acordo com as circunstâncias. Estudos do cérebro de gênios e prodígios em diversos campos realizados por meio de tomografia revelaram uma atividade cerebral maior em áreas sabidamente importantes para a formação da memória de longo prazo. Um trabalho comparou as imagens obtidas por tomografia em Rudiger Gamm, prodígio alemão em matemática, com os resultados de pessoas sem nenhum talento especial para o cálculo.

Ao fazer contas de cabeça, o cérebro de Gamm — mas não o dos controles — mostrou atividade em áreas envolvidas com a memória de longo prazo. Especulou-se que Gamm usa sua memória de longo prazo para estocar os resultados de que precisa para completar seus cálculos.

Assim, quando faz rapidamente as contas de cabeça, ele tem menos probabilidade de se perder. E, se a memória for como um bloco de anotações — analogia empregada com freqüência pelos cientistas que estudam os gênios —, então a de Rudiger Gamm é uma espécie de biblioteca de blocos de anotações. No entanto, essa conclusão deixa sem resposta uma questão importante: a formação de memórias de longo prazo maiores que a normal é um traço genético? Ou depende do esforço individual? A resposta a essa pergunta tem implicações de peso.

QUAL É O VERDADEIRO POTENCIAL DE UMA PESSOA?

Se a genialidade é atributo inteiramente genético e se os genes são tão decisivos, o pessimismo sobre a possibilidade de adquiri-la parece justificado, e a maioria das pessoas está condenada a permanecer atolada na mediocridade. Por outro lado, se o esforço individual pode levar à melhora da estrutura e do funcionamento do cérebro, resultando na formação de prodigiosas memórias de longo prazo necessárias ao desempenho superior, talvez todos nós sejamos capazes — se não de manifestar genialidade — ao menos de conseguir graus de realização que nos vão distinguir da vasta maioria de nossos concorrentes.

Apresentei essa questão de herança *versus* desenvolvimento a Anders Ericsson, psicólogo da Universidade do Estado da Flórida, em Tallahassee, que passou os últimos vinte anos estudando gênios, prodígios e outras inteligências superiores em campos tão diversos quanto esportes, artes plásticas e entretenimento. Ericsson está inteiramente convencido de que não há características herdadas especiais que distingam pessoas com capacidade superior. O ingrediente-chave parece ser a vontade de "ir além dos limites e aumentar o controle sobre o desempenho", diz ele, chamando a atenção para um estudo que fez na Academia de Música de Berlim, centro que goza de muito prestígio. Alunos de "capacidade superior" que, na opinião de seus professores, provavelmente farão carreira como concertistas, apresentam, em geral, uma média de 24 horas de prática por semana. "Bons" alunos, considerados pessoas com mais possibilidades de acabar como professores que como concertistas, praticavam apenas 9 horas por semana, em média. Aos 20 anos, os prováveis professores tinham mais ou menos 4 mil horas de prática, enquanto os futuros concertistas estavam na faixa das 10 mil.

Ericsson encontrou uma tendência parecida de prática intensa, deliberada e solitária entre os atletas, os jogadores de xadrez e os matemáticos com atuação notável. E conclui: "Para quem tem desempenho superior, o objetivo não é só fazer a mesma coisa muitas e muitas vezes, e sim chegar a níveis mais elevados de controle sobre todos os aspectos de sua atuação. É por isso que essas pessoas não acham enfadonho treinar durante horas a fio. Em toda sessão, elas estão trabalhando no sentido de se saírem melhor que da última vez".

Para conseguir excelente desempenho em seu campo, o especialista tem de neutralizar o mais rápido possível o impulso natural de agir mecanicamente. Por exemplo: quando aprendemos a dirigir, concentramo-nos, focamos a atenção e ativamos os lobos frontais para executar com rapidez aquelas manobras que envolvem as mãos e os pés e vão nos possibilitar andar de carro de maneira eficiente e segura. Para nós, dirigir é apenas um meio para chegar a determinado fim. Ao alcançar um desempenho aceitável (suficiente para passar num exame de habilitação), a maioria de nós desiste de outros esforços deliberados de melhorar a atuação ao volante.

Compare essa situação com os objetivos e métodos de um Grande Prêmio ou outra corrida de carros entre profissionais que precisam constantemente de toda a concentração e foco durante o treinamento e a competição. Cada corrida é diferente das demais e exige abordagens específicas para alcançar a maior velocidade possível sem aumentar o risco de acidente. O resultado é que o piloto profissional nunca está completamente satisfeito com seu desempenho: vive fazendo ajustes com o intuito de melhorar os diversos componentes da experiência de dirigir.

Para assegurar o melhor desempenho do piloto, seus lobos frontais têm de levar em conta as condições da estrada (chuva ou neblina, a temperatura ambiente, a tração possível em certa superfície). Depois esses lobos avaliam, comparam e analisam cada variável para estabelecer instantaneamente uma relação de custo-benefício. O piloto profissional sabe que precisa andar mais rápido que todos os outros concorrentes, mas não tão rápido que perca a corrida por causa de um acidente ou de um problema técnico.

Por outro lado, os lobos frontais do motorista que trafega numa via expressa abordam a experiência de dirigir de acordo com um programa muito diferente. Ele não está competindo com outros motoristas, e precisa sacrificar a velocidade em busca de segurança e, se surgirem situações de risco, tem de parar e esperar até ter condições de dirigir sem perigo. O motorista comum faz isso porque não tem a capacidade competitiva do piloto para responder a muitos componentes distintos, necessária para dirigir um carro numa estrada perigosa.

Em resumo: o especialista deve neutralizar conscientemente a tendência de automatizar antes da hora certa a experiência de dirigir. Enquanto o motorista comum quer aprender depressa para participar ao mesmo tempo de outras atividades, como conversar com os passageiros, o piloto de corridas tem de se manter totalmente envolvido com o ato de dirigir. Além disso, ele precisa desenvolver a capacidade de dividir essa experiência em múltiplos componentes e trabalhar com cada um deles em separado.

"Os indivíduos com desempenho superior utilizam certos tipos de processos de memorização", diz Ericsson. "Construíram representações mentais sofisticadas para manter o acesso a informações relevantes e suportam melhor um raciocínio mais extenso e flexível sobre as tarefas ou situações com que deparam. Os melhores são capazes de codificar, estocar e manipular informações com rapidez. Nenhum desses ajustes seria possível se o desempenho do especialista fosse completamente automatizado."

Pablo Casals, o famoso violoncelista, resumiu certa vez essa maneira de executar até mesmo composições muito familiares: "Para tocar com perfeição, toda peça deve ser estudada com a idéia constante de aprimoramento na cabeça, e é raro, trabalhando dessa forma, eu não descobrir que posso melhorar um ou outro detalhe".

Outros instrumentistas com atuação notável adotaram uma abordagem semelhante em sua música. Ao escrever, em 1913, o pianista F.B. Busoni referiu-se à perfeição de desempenho que se busca perpetuamente mas nunca é atingida: "Nunca deixo passar uma oportunidade de melhorar, por mais perfeita que me tenha parecido uma interpretação anterior. Na verdade, muitas vezes vou direto para casa depois de um concerto e pratico durante horas a fio as mesmas peças que acabei de tocar, porque durante a execução me ocorreram idéias novas".

"As pessoas com desempenho superior adquirem e refinam deliberadamente certos mecanismos cognitivos para aumentar seu controle e monitorar sua atuação", diz Ericsson. "Ao compararem seu desempenho com o de indivíduos mais competentes, elas conseguem identificar diferenças e reduzi-las pouco a pouco por meio de uma prática longa e deliberada."

Ocorre o mesmo processo no mundo dos esportes. Ericsson chama a atenção para uma observação feita por um dos mais talentosos jogadores de golfe do século XX, Ben Hogan: "Enquanto treino, também tento desenvolver minha capacidade de concentração. Nunca saio andando, simplesmente, e acerto a bola. Decido de antemão como quero bater nela e para onde quero que ela vá... Quando estiver treinando, adote o hábito de se concentrar, esquecendo todas as outras coisas. Assim você vai acabar descobrindo que está seguindo automaticamente a mesma rotina ao jogar uma partida de competição".

Outros talentos do golfe concordam que o componente-chave da prática deliberada é trabalhar com aqueles aspectos de seu desempenho que não são muito bons, ou com as situações que envolvem um desafio extra. O instrutor de golfe Jim McLean faz da concentração o centro do golfe bem jogado: "Só treine enquanto puder se concentrar. Pare quando... perder o foco. Em síntese: em geral, as sessões de treino concentrado são as mais produtivas".

"É da natureza humana querer praticar o que já se faz bem, porque dá muito menos trabalho e muito mais prazer. É triste, mas a verdade é que essa atitude não ajuda muito a reduzir as deficiências", diz Sam Snead, eleito o quarto melhor jogador de golfe do século XX. "Sei que é muito mais gostoso ficar no montículo de areia onde os jogadores começam a partida de golfe e fazer uma bela jogada com o taco de madeira para lances longos do que permanecer ali um tempão dando tiros curtos nos quais se usa só o pulso ou praticar lances com a areia voando no rosto, mas tudo isso nos faz voltar à questão do preço que estamos dispostos a pagar pelo sucesso."

O ESPECIALISTA USA O CÉREBRO DE FORMA DIFERENTE DO AMADOR

Mas o que está acontecendo no cérebro? O jogador de golfe profissional — em contraposição ao amador —, ao voltar a atenção para aspectos extremamente sutis de seu desempenho durante os treinos, consegue transformar esse conhecimento em memória funcional no interior dos lobos frontais. Mais tarde, quando está sob pressão, o cérebro concentra-se em um ou mais componentes dos procedimentos aprendidos. Para ele, é a tarefa — e não o ego — que fica no primeiro plano da atividade mental. Esse tipo de concentração imuniza o jogador tarimbado contra o sufoco provocado pela pressão intensa de uma partida de campeonato.

Por outro lado, o amador cai vítima de uma relação bem conhecida que compreende excitação, atenção e desempenho. Em estado de grande ansiedade e/ou excitação, o amador volta sua atenção para dentro e concentra-se em sua própria pessoa, em vez de se focar na tarefa. Esse processo atrapalha a execução de subunidades do desempenho aprendidas anteriormente, resultando em sufoco quando o jogador está sob pressão. Como explica Thomas Carr, psicólogo da Universidade Estadual do Michigan em East Lansing: "Sob pressão, prestar atenção a componentes bem assimilados de um processo conhecido prejudica a execução".

Carr é especialista nos fatores que determinam a situação de sufoco. Em resumo, ele descobriu que é melhor não deixar a percepção de si mesmo atrapalhar no momento de executar uma tarefa que a pessoa domina bem — uma idéia de que falam todos os que aprenderam a relaxar sob pressão, em vez de se deixarem inibir.

"Minha maneira de encarar a questão do desempenho é a seguinte: a hora de ser cuidadoso é quando você está treinando. No momento de mostrar a que veio, aproveite a oportunidade, mergulhe de cabeça", diz a violinista Nadia Salerno-Sonnenberg. Se quiser uma atuação memorável, não deixe a inibição nem a auto-avaliação interferirem na *execução pura e simples* da tarefa em pauta.

Em termos do desempenho do cérebro, "a execução pura e simples" envolve a transferência desembaraçada e inconsciente de atos aprendidos — guardados nos lobos frontais — para as áreas pré-motora e motora, que transformam a memória funcional naquelas jogadas eficientes que resultam de milhares de horas de treino. No capítulo 1, dissemos que esse é essencialmente o processo que Leslie Ungerleider demonstrou com imagens obtidas por ressonância magnética em voluntários que aprenderam uma seqüência simples de movimentos com os dedos. Assim, tanto atividades relativamente fáceis quanto aquelas extremamente sofisticadas, como treinar para se tornar um astro do atletismo ou da música, envolvem tirar proveito da plasticidade do cérebro a fim de criar os programas necessários para a excelência.

A REGRA DOS DEZ ANOS

Com base na pesquisa, Ericsson formulou o que chama de regra dos dez anos: "Parece que os melhores desempenhos e as grandes façanhas requerem pelo menos dez anos de treinamento intenso", diz ele. Além disso, o psicólogo acredita que qualquer pessoa que invista o tempo necessário pode acabar chegando a um nível de atuação como o dos prodígios.

O psicólogo francês Alfred Binet fez uma demonstração célebre de que qualquer indivíduo pode se tornar um prodígio. Ele propôs uma competição entre dois gênios matemáticos, três universitários e quatro caixas do Bon Marché, uma loja de departamentos em Paris. Embora os prodígios tenham superado com facilidade os estudantes, o desempenho dos caixas foi muito melhor que o deles ao resolver problemas como multiplicar 7286 por 5397 o mais rapidamente possível. Como isso pôde acontecer?

Os caixas tinham em média catorze anos de experiência profissional. Naquela época, a atividade exigia efetuar a multiplicação de um grande leque de quantidades (comprimento de tecidos, peso de comidas, número de itens) pelo preço unitário dos artigos. Com base em sua prática cotidiana ao longo dos muitos anos em que realizaram esses cálculos complicados, os caixas conseguiram superar os dois prodígios que ganhavam a vida com demonstrações públicas de sua maravilhosa capacidade matemática.

Tanto os caixas quanto Rudiger Gamm confirmam parcialmente a premissa de Ericsson: se treinar duro durante muito tempo, você também pode se tornar um prodígio. Gamm não deu sinal algum de aptidão especial para a matemática até que, aos 20 anos, começou a dedicar pelo menos quatro horas por dia à realização de cálculos e memorização de teoremas, fórmulas e outros tópicos matemáticos. Além disso, seu raio de ação é limitado: ele não mostra talento excepcional em nenhuma outra área.

Mas Gamm também difere do perfil de Ericsson: atingiu o nível de atuação de um prodígio em menos de dez anos. E há muitos outros exemplos de pessoas que precisaram de menos de uma década para chegar a um desempenho superior ou mesmo prodigioso. Mozart escreveu suas primeiras composições aos 5 anos de idade e, aos 6, já se apresentava em público tocando violino e piano.

Ericsson formulou uma possível explicação para o fato de algumas pessoas conseguirem atingir níveis de desempenho de gênio em menos de dez anos: "A chave é aumentar o controle sobre cada componente do desempenho". Ele chegou a essa conclusão depois de estudar os hábitos de treino dos dez melhores jogadores de golfe do século XX. Todos mostravam intensa capacidade de concentração, o que levava a uma consciência muito grande dos vários componentes de cada lance, combinada à possibilidade de se adaptar de modo a alcançar um controle maior ainda. Para alterar os aspectos sutis de seu desempenho, muitos deles estudavam fitas de vídeo de torneios passados.

Embora os programas motores e pré-motores possam ser criados em qualquer idade, o treino na infância e nos primeiros estágios do desenvolvimento traz resultados particularmente bons. Por exemplo: ao contrário do que diz o senso comum, o ouvido perfeito (a capacidade de identificar tons individuais) não é necessariamente herdado; pode ser adquirido por crianças comuns que recebam o treino necessário entre os 3 e 5 anos de idade. O desenvolvimento do ouvido perfeito é acompanhado de alterações estruturais do cérebro, que não aparecem em músicos sem essa capacidade. Graças à plasticidade, essas modificações também acontecem durante a maturação do talento musical. Além disso, as alterações resultantes variam, dependendo do instrumento escolhido e dos hábitos de treinamento do artista. Para músicos que tocam instrumentos de corda, o tamanho e a elaboração da área cortical do cérebro relacionada aos dedos, sobretudo o dedo mindinho da mão esquerda, dependem da idade com que a pessoa começa o aprendizado.

É provável que pesquisas futuras com ressonância magnética e outras tecnologias revelem "assinaturas" pessoais: padrões de atividade cerebral que variam de pessoa para pessoa e talvez até mesmo de uma composição musical para outra. A descoberta desses padrões individuais vai permitir que os artistas e seus professores relacionem o aprimoramento do talento musical com alterações na organização e no funcionamento do cérebro.

Um exemplo: o cérebro de um músico que domina perfeitamente seu instrumento reorganiza-se com freqüência, de modo que o centro musical — a área ativada quando ele está tocando ou ouvindo música — passa do hemisfério direito (aquele usado por instrumentistas amadores) para o esquerdo. Medindo essas alterações, os neurocientistas hoje conseguem distinguir o profissional dos amadores só com a observação das imagens obtidas por ressonância magnética. Se essa tecnologia continuar se desenvolvendo, um dia escaneamentos do cérebro conjugados a mensurações elétricas vão gerar um fluxograma de suas formas de ativação enquanto um músico toca determinada composição.

E essas análises sofisticadas não se limitarão à música. À medida que a tecnologia se torna cada vez menor e mais fácil de carregar, os neurocientistas vão poder verificar o que está acontecendo no cérebro dos expoentes de muitos campos enquanto praticam sua arte.

A PAIXÃO PELO DOMÍNIO

Será que as façanhas dos grandes se baseiam tão-somente num treino intensamente concentrado combinado com uma vontade férrea? Ou será que a herança genética também representa um papel, mesmo que pequeno? Como no caso de muitas perguntas que exigem respostas categóricas, acho que essa é irrespondível. Em primeiro lugar, se a herança desempenha um papel, não se sabe exatamente o que é herdado. Talvez a herança não seja determinado talento e sim a disposição da pessoa com desempenho superior para investir longas horas em exercícios solitários. Em outras palavras, talvez a herança diga respeito àquilo que um psicólogo chamou de "paixão pelo domínio": a disposição do gênio, do prodígio ou da pessoa com desempenho superior para dedicar quase todo o tempo de vigília ao domínio de seu campo de atividade. Segundo essa teoria, o mestre de xadrez teria a mesma dedicação e intensidade de foco que o jogador de tênis ou golfe, caso seus esforços tomassem a direção de um desses esportes. Seria igualmente bem-sucedido? Duvido. Com exceção de alguns gênios da história (Newton, Descartes), muito pouca gente consegue chegar a um grau extraordinário de atuação em mais de uma área.

Em suma, não há como saber definitivamente se o foco da questão é a herança genética ou a educação. Os genes sempre exercem sua influência em *algum* ambiente. E, por mais poderosa que seja a herança genética, o ambiente tem de ser favorável ao desenvolvimento de determinada aptidão. Um talento musical — e até mesmo um prodígio — pode murchar, a menos que o futuro gênio se encontre entre pessoas que apreciem música e o ajudem a desenvolver seu potencial.

Por outro lado, será que um treino intensamente concentrado num tema particular possibilita a alguém com talento só mediano atingir os níveis mais elevados da excelência? Depois de estudar e de pensar sobre essa questão durante algum tempo e de entrevistar especialistas do ramo como Ericsson, descobri que essa hipótese é fascinante e promissora, mas não convence. Embora o treino concentrado, intenso e deliberado possa levar ao desempenho superior, não estou inteiramente persuadido de que não existe também um componente hereditário, pequeno mas decisivo.

Talvez Thomas Edison tenha se expressado melhor: a genialidade é 99% de transpiração e 1% de inspiração. Embora a concentração e os exercícios intensivos possibilitem que a maioria de nós alcance um desempenho extraordinário *se estivermos dispostos a realizar o trabalho necessário*, ainda está presente aquele pequeno mas importante 1% que, nos níveis mais elevados da excelência, pode fazer a diferença entre ser o melhor e ser *quase* o melhor.

É pouco provável que, no século XXI, o estudo do cérebro decifre ou explique completamente o mistério da genialidade ou do desempenho excepcional. Mas, sejam quais forem as proporções exatas de talento natural e do trabalho árduo, o desempenho superior baseia-se, em última instância, na plasticidade inerente ao cérebro, o que conduz a uma regra ao mesmo tempo simples e fácil de aplicar: escolha um campo de atividade que o atraia e depois trabalhe com intensidade suficiente para provocar reorganizações importantes nos circuitos de seu cérebro.

AS CELULAZINHAS CINZA

Além dos *insights* na genialidade e no desempenho superior, a pesquisa do cérebro está revelando muita coisa sobre a inteligência humana. Até agora, cientistas e educadores avaliaram a inteligência por meio dos chamados testes de QI.

Desde os primeiros anos, nossa vida é muito influenciada pela maneira como nos saímos nos testes de QI. Na verdade, esses testes desempenham um papel importante na hora de decidir que escolas vamos freqüentar, que pessoas vamos conhecer, que amizades vamos fazer e com quem vamos acabar nos casando. Mas o que os testes de QI aferem realmente? Só a capacidade de se sair bem em testes de QI, como dizem alguns especialistas só por brincadeira, ou será que medem algo mais geral, algum fator que distingue a pessoa de inteligência "elevada" de seus vizinhos um pouco menos bem-dotados?

Numerosos estudos mostraram que, quando se apresenta uma bateria de testes a um grupo grande de indivíduos, é provável que alguém que se saia bem num deles também seja bem-sucedido também nos demais. Os psicólogos chamam essa capacidade mental "genérica" de fator *g*. As referências ao fator *g* estão por trás da afirmação de que a inteligência difere quantitativamente de uma pessoa para outra. Assim como se pode provar que uma pessoa é "mais rica" que outra usando contas bancárias, ações e outros bens como fatores de comparação, pode-se afirmar com segurança que um indivíduo é "mais inteligente" que outro com base nos resultados de seus testes de QI e em seus fatores *g* — ao menos é o que dizem.

Até recentemente, o fator *g* era apenas um construto psicológico — um atributo interessante, mas nebuloso, que não podia ser detectado fisicamente em nenhum local específico do cérebro. Mas agora tudo isso está mudando, pois as imagens obtidas com tomografia identificam as áreas do cérebro e suas formas de organização associadas ao desempenho superior nos testes de inteligência genérica.

Um de meus slides favoritos, que apresento em conferências sobre o cérebro, mostra imagens — obtidas por meio de tomografias — de dois estudantes enquanto estão trabalhando com as matrizes progressivas de Raven, um teste de raciocínio e inteligência. A imagem de um dos cérebros revela grande atividade (aumento do vermelho e do laranja na imagem codificada por cores), ao passo que a outra acusa atividade muito menos intensa (cores verde e azul, equivalentes a uma atividade menor). Adivinhe qual das duas imagens corresponde à pessoa que alcançou o maior número de pontos no teste de Raven. Intuitivamente, você poderia correlacionar a inteligência superior e o melhor desempenho no teste de Raven ao maior grau de atividade detectado na imagem obtida por tomografia. Mas sua intuição estaria errada. O estudante com performance superior mostra atividade cerebral menor que o que fez menos pontos no teste de Raven. O que está havendo aqui?

Segundo Michael Posner e Marcus Raichle, autores de *Images of Mind* (publicado em português com o título *Imagens da Mente* pela Porto Editora, em 2001), o cérebro não precisa trabalhar tanto quando está envolvido em algo que considera fácil. Portanto, a pessoa mais bem-sucedida no teste de Raven não se esforça muito para dar as respostas certas, como acontece com o outro estudante.

"A eficiência de um cálculo aumenta com a repetição, e por isso a atividade geral que o acompanha diminui", dizem Posner e Raichle. "O fluxo sangüíneo é menor, a atividade elétrica reduz-se e há menos interferência entre o cálculo repetido e qualquer outra tarefa."

Outro estudo com imagens tomográficas corrobora as afirmações desses pesquisadores. Conforme a descrição feita num artigo de 2001, já considerado pioneiro, com o imponente título de "Uma base neurológica da inteligência", John Duncan, do Conselho de Pesquisa Médica da Unidade das Ciências da Cognição e do Cérebro de Cambridge, no Reino Unido, empregou a tomografia para obter imagens de treze homens e mulheres enquanto realizavam um teste de QI. Foram propostas tanto questões verbais quanto espaciais.

Duncan descobriu que a resolução desses tipos de problema não se distribui por todo o cérebro — como seria de se esperar num teste de inteligência genérica; concentra-se, na verdade, no córtex lateral pré-frontal de ambos os lados. Como o nome sugere, o córtex lateral pré-frontal fica na parte frontal e lateral do cérebro.

Ele também descobriu que os testes verbais ativam o córtex pré-frontal esquerdo (o que não é de surpreender, pois a linguagem é processada no hemisfério esquerdo), enquanto os problemas espaciais ativam o córtex lateral pré-frontal de ambos os lados. O que explicaria essa importância evidente do córtex pré-frontal para a inteligência?

Em primeiro lugar, essa área bem conectada transmite e recebe informações de várias regiões do cérebro. Funcionalmente, ajuda-nos a manter diversas coisas em mente ao mesmo tempo, a resolver problemas, a ter novas idéias e a excluir dados irrelevantes que podem nos distrair. E, como já foi dito antes, os lobos frontais também são importantes na formulação daqueles programas motores indispensáveis para o desempenho superior no esporte e na música. Por causa de seu papel nessas funções importantes, o córtex pré-frontal parece um centro "natural" da inteligência genérica.

A inteligência genérica (*g*) também está intimamente relacionada à quantidade de matéria cinzenta dos lobos frontais. (A matéria cinzenta é constituída de células cerebrais; a matéria branca consiste em grandes conjuntos de conexões que ligam as células cerebrais entre si.) Acabamos descobrindo que a inteligência tem mais relação com o número de células cerebrais dos lobos frontais que com a densidade dos conjuntos de fibras que as unem. Em geral, as pessoas com mais matéria cinzenta nos lobos frontais tendem a se sair melhor nos testes de QI.

A premissa de que a inteligência está associada à quantidade de matéria cinzenta não é nova; até nossa linguagem cotidiana se mostra repleta de referências a isso. Referimo-nos a uma pessoa burra como alguém que não tem matéria cinzenta. Hercule Poirot, o detetive belga imortalizado nos romances de Agatha Christie, falava do emprego das "celulazinhas cinza" para ajudá-lo a identificar assassinos e suas motivações.

Observa-se que, além de o volume de matéria cinzenta ser maior entre as pessoas que se saem bem nos testes de QI, tal característica depende muito da hereditariedade. A matéria cinzenta de gêmeos idênticos (monozigóticos), que apresentam os mesmos genes, é mais parecida que a de gêmeos fraternos (dizigóticos), nos quais a herança genética varia. Os gêmeos idênticos também tendem a alcançar mais ou menos o mesmo número de pontos nos testes de QI. Além disso, tais gêmeos com volume maior de matéria cinzenta na região frontal tendem a atingir pontuação mais alta nesses testes.

Será que essas descobertas querem dizer que a maior parte da inteligência já está determinada na hora do parto? Que herdamos o grau de inteligência e não há muito que qualquer um de nós possa fazer a respeito? Felizmente (para aqueles de nós que não nasceram gênios), a inteligência é plástica e modificável. Todas as nossas experiências resultam na formação de circuitos neurológicos. Quanto mais ricas, mais variadas e mais desafiadoras forem as experiências, tanto mais sofisticados serão os circuitos neurológicos. É claro que há limites: uma pessoa com desempenho "mediano" nos testes de QI não vai se transformar num Einstein só por se inscrever num curso de física. Nem os resultados dos testes de QI vão melhorar muito por causa disso, sobretudo quando se trata de raciocínio abstrato e alguns outros processos cognitivos. Na verdade, o desempenho nesses campos tende a piorar ligeiramente com o avanço dos anos, por causa de uma redução na atividade dos lobos frontais. Mas a capacidade de mudança do cérebro — sua plasticidade — continua muito grande durante toda a nossa vida.

Embora as imagens obtidas com as novas tecnologias ajudem a identificar áreas importantes associadas à inteligência, não acho provável que os métodos tradicionais de definição de inteligência venham a ser inteiramente substituídos pelo escaneamento do cérebro. E mesmo em situações em que é possível observar diferenças, como o maior volume de matéria cinzenta frontal nos indivíduos com inteligência superior, estamos diante daquele velho problema de saber quem vem primeiro, o ovo ou a galinha. Como diz o neurocientista Robert Plomin: "pessoas com forte motivação podem exercitar mais o cérebro e, assim, desenvolver alta densidade de neurônios no córtex frontal".

Portanto, apesar do fascínio perene gerado pelo desejo de definir e localizar a inteligência, os esforços nesse sentido provavelmente serão prejudicados por dois grandes obstáculos. Não existe concordância sobre o que é inteligência, nem mesmo sobre o que os testes de QI existentes estão realmente medindo. Além disso, como observou o psicólogo Robert J. Sternberg, "há muito mais coisas na vida cotidiana do que avaliam os testes de inteligência, ou mesmo do que poderia ser razoavelmente chamado de inteligência. Os testes não conseguem levar em conta aspectos importantes do funcionamento cerebral, como motivação, facilidade de se relacionar socialmente, persistência diante da adversidade e capacidade de fixar e atingir metas razoáveis".

É melhor pensar na inteligência, como no caso do gênio e do desempenho superior, como algo em parte genético e em parte ambiental — e, por conseguinte, passível de mudança. Além disso, como muitos genes estão envolvidos na definição da estrutura e do funcionamento do cérebro, a existência de um gene "inteligente" é extremamente improvável. Na verdade, muitos genes contribuem para a inteligência e determinam o tipo mostrado por cada um de nós (a inteligência do artista comparada à do homem de negócios, por exemplo). Além do mais, é possível modificar a estrutura do cérebro e aprimorar certos aspectos da inteligência graças a nossos esforços, mesmo que não consigamos aumentar o QI geral nos testes padronizados. Em vez de estarmos condenados pelas forças do determinismo, preservamos — graças à plasticidade do cérebro e ao nosso empenho individual — o controle necessário para o cérebro funcionar da melhor maneira possível.

LÉ COM LÉ, CRÉ COM CRÉ

Há trinta anos, o psicólogo sueco G. Johansson fixou luzes minúsculas nas principais articulações de alguns atores e gravou seus movimentos num quarto escuro. Depois mostrou os pontos de luz em movimento a alguns voluntários, que rápida e facilmente os associaram a uma pessoa andando. Na maioria dos casos, os observadores conseguiram reconhecer, com base somente no deslocamento dos pontos de luz, não só o movimento, mas também o sexo da pessoa, muitos de seus traços de personalidade e emoções e conjuntos de movimentos complexos como a dança.

As imagens obtidas hoje com a tomografia esclarecem alguns aspectos da maneira pela qual o cérebro é capaz de distinguir movimentos de base biológica, como andar, de outros aleatórios. Em um experimento, uma parte do cérebro chamada sulco temporal superior (STS), que separa porções dos lobos temporais, fica mais clara sempre que os indivíduos olham para desenhos de pontos criados por pessoas caminhando no escuro; o STS não respondeu quando eles olhavam para seqüências de pontos aleatórios em movimento.

Embora a identificação do movimento em geral represente valor de sobrevivência nos animais que têm de fugir de predadores, ela também proporciona benefícios sociais e psicológicos. Um exemplo: nos primeiros dias de vida, um bebê imita os atos ou expressões faciais dos adultos — pondo a língua para fora quando alguém faz isso. Esse tipo de comportamento indica os primeiros esforços do cérebro no sentido de estabelecer relações emocionais com outras pessoas. Também é uma das primeiras experiências do bebê no sentido de criar conexões entre atos e estados de espírito.

Aos 18 meses de idade, um bebê imitará e realizará atos humanos que observou, como quebrar um haltere de brinquedo, mas vai ignorar se as mesmas ações forem executadas por um dispositivo mecânico. Os cientistas especulam se essa imitação seletiva dos atos humanos serve de guia para interpretar o comportamento dos outros em termos de suas intenções e desejos.

Ao imitar o comportamento de outra pessoa, ficamos iguais a ela num sentido bem real. O folclore e os provérbios populares reconhecem isso, pois estão repletos de conselhos sobre a importância de escolher os "modelos certos" e de andar com os "amigos certos", pois as pessoas se espelham: lé com lé, cré com cré. E diz-se que a imitação é "a forma mais sincera de elogiar alguém".

"Ao simular os atos de alguém e gravá-los nas representações memorizadas de nossos próprios comandos motores e suas conseqüências, é possível estimar os estados de espírito do indivíduo observado, que não podem ser diretamente deduzidos com base em seus movimentos", dizem as neurocientistas Sarah-Jayne Blakemore e Jean Decety. E acrescentam: "Esse sistema de simulação também pode dar informações a partir das quais é possível prever os atos futuros da pessoa."

Embora à primeira vista isso possa parecer algo como "leitura de pensamento" com base em comunicação não-verbal, o conceito é um pouco mais sutil. Os neurocientistas descobriram recentemente a existência de "neurônios-espelho" no cérebro de macacos, que entram em ação tanto quando os animais executam certos movimentos como quando apenas observam outros realizando os mesmos movimentos. Evidências inquestionáveis sugerem um processo semelhante de espelhamento nos seres humanos — certas células nervosas são ativadas tanto durante a prática de uma atividade quanto na observação de outra pessoa a realizá-la.

Em certo estudo, o cérebro de pessoas foi escaneado enquanto observavam movimentos que depois deveriam imitar. As mesmas regiões do cérebro foram ativadas em ambas as situações, a de observar e a de realizar os movimentos — um indício de que, durante o período de observação, as áreas responsáveis por planejá-los já estavam preparadas para a imitação.

Essas descobertas experimentais oferecem, segundo Blakemore e Decety, "um novo quadro de referências para uma idéia que lembra o conceito filosófico de que compreendemos o que se passa na cabeça dos outros simulando disfarçadamente seu comportamento".

Uma bela demonstração dessa simulação é descrita no romance *Memórias e Confissões de um Pecador Justificado* (Bruguera, 1969), do escritor escocês James Hogg: "Se eu observar seriamente os traços de um homem, os meus assumem aos poucos exatamente a mesma aparência e caráter. Além disso, se eu observar um rosto meticulosamente, além de conseguir a mesma aparência, com a semelhança externa eu chego exatamente às mesmas idéias, assim como à mesma forma de organizá-las, de modo que, como você pode ver, ao observar atentamente uma pessoa, aos poucos vou ficando parecido com ela e, com a semelhança, posso obter acesso aos seus pensamentos mais secretos".

Atores metódicos empregam técnicas semelhantes ao entrar na pele de seus personagens. Estudando expressões faciais, modos de andar e outros movimentos corporais, o ator consegue tornar-se o que o romancista

Joseph Conrad chamou certa vez de "sócio secreto" da personalidade de outro indivíduo.

As descobertas de Blakemore e Decety, combinadas às observações de Hoggs, oferecem forte argumento para escolhermos bons modelos para o próprio comportamento. Se você quer realizar algo que exige determinação e resistência, procure cercar-se de gente com essas qualidades. E procure limitar o tempo que passa com pessoas dadas ao pessimismo e a expressões de futilidade. Infelizmente, as emoções negativas exercem influência muito maior sobre as situações sociais do que as positivas, graças ao fenômeno do *contágio emocional*.

A primeira vez que ouvi falar em contágio emocional foi pela boca do psicólogo Steven Stosny, de muito prestígio nos Estados Unidos, especializado em explosões de raiva no trânsito. "A raiva e o ressentimento são as mais contagiosas de todas as emoções", diz ele. "Se estiver perto de uma pessoa ressentida ou furiosa, você mesmo vai tender a ficar ressentido ou furioso. Quando um motorista começa a fazer gestos de raiva e expressões faciais que mostram hostilidade, os motoristas próximos vão imitar inconscientemente esse comportamento — e o resultado é uma onda de raiva e ressentimento entre todos eles. Além disso, os motoristas então se irritarão à toa por causa do alto nível de adrenalina no sangue que acompanha a raiva. Nessas condições, um ataque de raiva pode chegar facilmente ao descontrole total."

Como demonstram esses casos, o cérebro é uma poderosa máquina de simulação criada para detectar e responder a um amplo leque de intenções das outras pessoas. Os neurocientistas estão explorando melhor como nossas observações do comportamento alheio nos permitem inferir suas intenções conscientes e até as inconscientes. Dizem que, à medida que aprendermos mais sobre esse processo, estaremos em condições de controlar nosso próprio comportamento e assegurar que não seja apenas uma reação ao procedimento dos outros.

1110101011101010111010110000101010001110101000
101110101011110101011111010100111101010011111010
10100001010111000101011101010100010110011100010
110101010010011010111100010110010101110101000101
010010101110101010100010101011101010100111010110
101010101010101010101010101010101010101010101010
1010101010101010101010101010101010101010101010101
010101010101010101010101010101010101010101010101
101111010111111100010101111010111110101011101010
1110101011101010111010110000101010001110101000
101110101011110101011111010100111101010011111010
10100001010111000101011101010100010110011100010
110101010010011010111100010110010101110101000101
010010101110101010100010101011101010100111010110
101010101010101010101010101010101010101010101010
1010101010101010101010101010101010101010101010101
010101010101010101010101010101010101010101010101
101111010111111100010101111010111110101011101010
1110101011101010111010110000101010001110101000
101110101011110101011111010100111101010011111010
10100001010111000101011101010100010110011100010
110101010010011010111100010110010101110101000101
010010101110101010100010101011101010100111010110
101010101010101010101010101010101010101010101010
1010101010101010101010101010101010101010101010101
010101010101010101010101010101010101010101010101
101111010111111100010101111010111110101011101010
1110101011101010111010110000101010001110101000
101110101011110101011111010100111101010011111010
10100001010111000101011101010100010110011100010
110101010010011010111100010110010101110101000101
010010101110101010100010101011101010100111010110
101010101010101010101010101010101010101010101010
1010101010101010101010101010101010101010101010101
010101010101010101010101010101010101010101010101
101111010111111100010101111010111110101011101010
1110101011101010111010110000101010001110101000
101110101011110101011111010100111101010011111010

Capítulo 3

DÉFICIT DE ATENÇÃO

A síndrome cerebral do nosso tempo

A plasticidade de nosso cérebro, além de responder às pessoas e ao treino à que o submetemos, também responde, para o bem e para o mal, à tecnologia que nos cerca: televisão, cinema, celulares, e-mails, computadores portáteis e internet. E, quando digo responder, quero dizer que nosso cérebro modifica literalmente sua organização e *modus operandi* para se acomodar à abundância de estímulos impostos a ele pelo mundo moderno.

Essa mudança imposta ao cérebro pela tecnologia é a maior que já sofremos nos últimos 200 mil anos (quando o volume do cérebro do *Homo sapiens* chegou ao da modernidade). Embora fatores biológicos e sociais, como uso de ferramentas, caça coletiva e linguagem verbal, tenham levado às primeiras modificações do cérebro, a exposição à tecnologia parece estar comandando a alteração atual. Uma conseqüência disso é que enfrentamos desafios constantes à capacidade de concentrar a atenção.

Eis um exemplo: há pouco tempo, eu estava assistindo a uma entrevista com Laura Bush na televisão. Com o programa em andamento, a parte inferior da tela mostrava um "letreiro" composto por um texto em movimento com informações de outros noticiários.

Até recentemente, esses letreiros só eram usados para dar os primeiros avisos sobre furacões, tornados e outras ameaças iminentes. Por causa de sua raridade e seriedade implícita, eles chamavam atenção imediatamente, por mais absorvidos que estivéssemos no programa em exibição diante de nossos olhos. Em resumo, o objetivo do letreiro era atrair nossa atenção e avisar-nos com antecedência de uma possível necessidade de tomar providências urgentes. Mas, agora, ele está presente o tempo todo, gerando uma fragmentação da atenção, um estado constante de distração e foco dividido.

Durante a entrevista com a primeira-dama americana, percebi que minha atenção ia e voltava de suas observações para o fluxo ininterrupto de frases curtas mostradas na faixa inferior da tela. Por meio do letreiro, fiquei sabendo que o aeroporto nacional, fechado após os ataques terroristas de 11 de setembro, deveria reabrir em dois dias; que o campeonato de futebol seria disputado em Nova Orleans uma semana depois da data habitual; e que um recorde estava para ser quebrado pelo jogador de beisebol Barry Bonds.

Apesar de todos os esforços no sentido de me concentrar nas palavras de Laura Bush, eu continuava desviando os olhos para o letreiro a fim de descobrir eventuais acontecimentos que pudessem ser mais interessantes. O resultado foi que, em vários momentos, perdi o fio da meada da conversa entre a primeira-dama e o entrevistador. Em geral, eu não ouvia a pergunta e, por isso, era obrigado a ficar no escuro durante a primeira ou a segunda frase de sua resposta.

Em outras ocasiões, assisti a entrevistas na tela dividida, com metade dela mostrando imagens ou textos do tópico em pauta, enquanto o letreiro continuava com pequenos trechos de assuntos totalmente diferentes. Nesses casos, estou sendo obrigado a dividir minha atenção visual em três componentes.

É fácil imaginar os desdobramentos futuros quando a atenção tiver de ser disputada por quatro ou mais componentes: talvez uma entrevista realizada inteiramente em forma de narração, com imagens na tela dividida mostrando dois assuntos sem ligação alguma com o tema da entrevista, acompanhada o tempo todo por um letreiro voltado a um quarto tópico.

No entanto, não devemos pensar que esses desdobramentos não foram previstos ou constituem surpresa. Em 1916, profetas do cinema futurista elogiaram "a simultaneidade e as interpenetrações cinematográficas de diferentes momentos e lugares" e previram que "todos projetaremos dois ou três episódios visuais ao mesmo tempo, um ao lado do outro". As previsões de ontem tornaram-se a realidade de hoje. E, durante esse processo, ficamos mais frenéticos, mais distraídos, mais fragmentados — em resumo, mais *hiperativos*.

EM QUANTAS PARTES NOSSA ATENÇÃO PODE SER DIVIDIDA?

As divisões da atenção não são novidade, é claro. As pessoas sempre foram obrigadas a fazer mais de uma coisa de cada vez ou a pensar em mais de uma questão ao mesmo tempo. Mas a maioria dos indivíduos, embora absorvidos no que hoje chamamos de múltiplas tarefas, preservava uma intensa sensação de unidade: o que estavam fazendo lhes servia de âncora. Agora, a sensação de unidade foi substituída, a meu ver, por sentimentos de distração e dificuldade de manter o foco e a atenção. Em meu consultório de neuropsiquiatria, encontro diariamente pessoas normais em todos os demais aspectos, mas com dificuldade para se concentrar. "Assim que começo a pensar numa coisa, minha cabeça se desvia para outro assunto e, antes de eu me dar conta, já estou voltado para um terceiro tópico", é uma queixa comum.

Certamente parte dessa mudança da concentração para a distração decorre dos muitos e variados papéis que todos temos de desempenhar. Mas acho que o processo de *des-integração* pessoal também é favorecido pela exposição constante à mídia, principalmente à televisão. Ao ver tevê, muitos de nós agora passam rotineiramente de um programa para outro com tanta rapidez quanto o polegar consegue apertar o botão do controle remoto. Assistimos a um filme durante alguns minutos, depois passamos para um jogo de basquete, até ficarmos entediados, e logo entramos no Animal Planet. Quando ficamos ansiosos, às vezes pegamos o telefone e conversamos com um colega de trabalho sobre temas que provavelmente virão à baila na reunião do dia seguinte, ao mesmo tempo em que voltamos a atenção para a previsão do tempo na TV ou ligamos o computador para ver o que está em nossa caixa postal.

"As demandas sobre o cérebro humano estão aumentando agora", diz Todd E. Feinberg, neurologista do Centro Médico Beth Israel, em Nova York. "Tanto quanto sei, estamos selecionando a capacidade de realizar múltiplas tarefas."

O comentário de Feinberg sobre "selecionar" toca o nervo da questão. Em qualquer momento de sua história, a evolução seleciona determinados fatores para sua adaptação e vitória sobre as condições ambientais predominantes. E hoje o ambiente exige a capacidade de executar mais de uma coisa por vez, de dividir a atenção e de fazer malabarismo com interesses rivais e com freqüência conflitantes. Os adolescentes cresceram nesse tipo de ambiente. O resultado é que alguns deles conseguem funcionar razoavelmente bem em condições de distração. Mas essa capacidade de realizar múltiplas tarefas tem seu preço — o distúrbio de déficit de atenção (DDA) ou o distúrbio de déficit de atenção e hiperatividade (DDAH).

Talvez a melhor compreensão intuitiva do DDA/DDAH seja a do filósofo francês Blaise Pascal, que disse: "A maioria dos males da vida decorre da incapacidade do homem de ficar sentado quieto num lugar". A quarta edição do *Manual de Diagnóstico e Estatística dos Transtornos Mentais* — DSM-IV — (Artmed, 2002) oferece uma definição mais contemporânea. Embora o DDA/DDAH afete tanto adultos quanto crianças, o DSM-IV descreve três categorias de sintomas mostrados por crianças: controle motor, impulsividade e dificuldades de organização e concentração.

Entre os problemas motores, temos:

- movimentação constante das mãos ou pés ou contorções quando a criança está sentada;
- a criança levanta-se freqüentemente de seu lugar na sala de aula ou em outras situações nas quais se espera que fique sentada;
- ela está sempre "muito ativa" ou age repetidas vezes como se estivesse com o motor ligado;
- corre a toda hora ou expressa um sentimento subjetivo de agitação;
- costuma ter dificuldade para brincar ou se envolver tranqüilamente em atividades de lazer;
- em geral, fala demais.

Entre as dificuldades impulsivas, destacam-se:

- a criança costuma ter dificuldade em esperar sua vez;
- interrompe ou intromete-se com os outros (em conversas ou jogos);
- muitas vezes fala sem pensar, respondendo antes de as perguntas serem completadas.

Para receber o diagnóstico de "subtipo desatento" de DDA/DDAH, a criança ou o adolescente apresenta quaisquer seis dos seguintes sintomas:

- em geral, não segue as instruções recebidas até o fim e não consegue terminar os deveres de casa, as tarefas domésticas ou as obrigações profissionais;
- não consegue, com freqüência, prestar muita atenção aos detalhes e comete erros nos deveres da escola, do trabalho ou em outras atividades por mero descuido;
- costuma sentir dificuldade em manter a atenção em tarefas ou em atividades de lazer;
- com freqüência, parece não prestar atenção quando lhe dirigem a palavra;

- em geral, evita, não gosta ou reluta em assumir tarefas que exigem esforço mental muito grande (como deveres feitos na escola ou em casa);
- perde freqüentemente objetos necessários às tarefas ou atividades;
- costuma distrair-se facilmente com estímulos irrelevantes;
- costuma ser desatento nas atividades cotidianas.

Durante anos, os médicos disseram aos pais de crianças com DDA/DDAH que o problema desapareceria à medida que elas crescessem. Mas parece que esse desejo de tranqüilizar os pais era excessivamente otimista. Na maioria dos casos, o DDA/DDAH continua na vida adulta, embora os sintomas mudem.

Em seu *best-seller Tendência à Distração* (Rocco, 1997), os psiquiatras Edward Hallowell e John Ratey elaboraram uma lista de critérios para o diagnóstico do distúrbio de déficit de atenção em adultos. Entre as manifestações mais comuns, aparecem:

- sensação de estar vivendo abaixo de suas possibilidades, de não atingir os objetivos estabelecidos;
- dificuldade em se organizar;
- adiamento crônico ou dificuldade de começar a fazer as coisas;
- muitos projetos acontecem ao mesmo tempo, com dificuldade em terminá-los;
- tendência a dizer qualquer coisa que venha à cabeça sem necessariamente considerar se é o momento certo ou se é adequado fazer certo comentário;
- busca constante de estimulação intensa;
- intolerância ao tédio;
- a pessoa distrai-se facilmente, tem dificuldade em concentrar a atenção, tende a se desligar ou a pensar em outra coisa no meio de uma página ou de uma conversa;
- impaciência, pouca tolerância à frustração;
- sensação de insegurança.

Outros especialistas no distúrbio de atenção dos adultos acrescentariam:

- baixa auto-estima;
- instabilidade emocional, alterações de humor repentinas e às vezes drásticas.

UM TIPO DISTINTO DE ORGANIZAÇÃO CEREBRAL

Muitas vezes, o DDA/DDAH de crianças e adultos é herdado. Em geral, com uma entrevista, descobrimos que os pais de uma criança diagnosticada com o distúrbio manifestam diversos dos sintomas do problema na vida adulta. No entanto, muitos outros casos, tanto em crianças quanto em adultos, ocorrem sem nenhuma disposição hereditária, sugerindo a probabilidade de DDA/DDAH ser induzido culturalmente.

Em decorrência das demandas crescentes por nossa atenção e concentração, o cérebro tenta adaptar-se mudando rapidamente a atenção de uma atividade para outra — uma estratégia agora quase indispensável para a sobrevivência. Por causa disso, o déficit de atenção está se tornando epidêmico, tanto nas crianças quanto nos adultos. É pouco provável que se trate de um problema temporário. Na verdade, algumas formas de DDA/DDAH entraram na corrente dominante de comportamento aceitável. Muitas características de personalidade que antes considerávamos disfuncionais, como a hiperatividade, a impulsividade e a facilidade em se distrair, agora são praticamente a norma.

"Com tantas pessoas distraídas por aí, talvez estejamos nos tornando a primeira sociedade com distúrbio de déficit de atenção", diz Evan Schartz, crítico do ciberespaço da revista *Wired*. Na opinião dele, o DDAH pode ser "a síndrome cerebral oficial da era da informação".

"A civilização está se adaptando a um tempo de atenção patologicamente curto. A tendência pode estar derivando da aceleração da tecnologia, da perspectiva de horizontes limitados nas economias dirigidas pelo mercado, da expectativa da próxima eleição nas democracias ou das distrações das múltiplas tarefas de cada um. Todos esses fatores estão se agravando", afirma Stewart Brand, autoridade em tecnologia e mudanças sociais. Segundo Paul Wender, especialista em DDA, "o tempo de atenção do adulto comum está sendo muito exagerado".

"É importante observar que os neurocientistas e especialistas desse campo estão cada vez mais insatisfeitos com o fato de o DDAH ser considerado uma doença", diz Sam Horn, autor de *ConZentrate: Get Focused and Pay Attention — When Life Is Filled with Pressures, Distractions, and Multiple Priorities* [ConZentrar: Comece Focado e Preste Atenção - Quando a vida está cheia de pressões, distrações e prioridades múltiplas], que apresenta uma lista das forças do mundo moderno que "induzem" o DDA/DDAH. "Eles preferem ver o DDAH como um tipo distinto de organização do cérebro."

Essa mudança de atitude em relação ao DDA/DDAH traz implicações práticas. Ao criar um ambiente ótimo para o aprendizado, por exemplo, Horn sugere que "bloquear os sons pode ser prejudicial. Atualmente, a geração mais jovem se acostumou à cacofonia. Os barulhos da rua, os pneus cantando ao serem freados de repente, a mudança de marcha dos caminhões e o som da sirene das ambulâncias são a norma para eles. Na verdade, para essas pessoas, o silêncio pode ser desconcertante, por ser inusitado".

À lista dos fatores indutores do DAA/DDAH apresentada por Horn eu acrescentaria a fala acelerada por pressão do tempo, prática agora rotineira no rádio e na TV para injetar o máximo possível de informações por unidade de tempo. Como resultado disso, todos nos acostumamos aos comerciais comprimidíssimos, cuja fala atingiu velocidades que os tornam incompreensíveis. Pense no último comercial de automóvel que você viu, no qual todos os pontos altos do mais recente lançamento são lidos na velocidade da luz, ou numa propaganda de remédio que cita uma dúzia de possíveis efeitos colaterais em menos de cinco segundos.

"Até o ponto que o 'mercado tolere', a atitude parece ser a de forçar os limites do ouvinte em termos de degradação do estímulo auditivo e aumentar a velocidade da apresentação do conteúdo exposto", dizem os psicólogos Patricia A. Tun e Arthur Wingfield, da Universidade Brandeis, em seu artigo intitulado "Devagar mas em segurança na era do 'Andar Depressa'."

Como observam esses psicólogos, os computadores portáteis, os celulares, os e-mails e as máquinas de fax nos mantêm em contato permanente com o mundo, ao mesmo tempo em que exercem tremendas pressões sobre nós para respondermos rápida e acuradamente. Mas velocidade e precisão raramente andam juntas no cérebro humano.

Estudos sucessivos mostram que tanto ouvintes jovens quanto velhos se recordam menos de material que lhes é apresentado muito depressa. Uma situação parecida acontece na esfera visual. Na verdade, a memória do telespectador em relação à previsão meteorológica é pior quando ele vê segmentos com mapas coloridos e gráficos com movimento do que se exposto a versões mais simples das mesmas informações, em que só há uma descrição do tempo.

Como afirmam os psicólogos Tun e Wingfield, "o aglomerado, o barulho e a sucessão rápida e constante de informações que nos cercam todos os dias contribuem para o ritmo febril da vida moderna, em que costuma ser difícil concentrar-se simplesmente no momento presente".

SEM TEMPO PARA OUVIR

Em decorrência de nossa cultura do "andar depressa", o déficit de atenção está se tornando um transtorno paradigmático dos dias de hoje. Na verdade, o DDA/DDAH não é exatamente uma doença, mas sim um estilo cognitivo. Para alcançar sucesso no mercado de trabalho atual, você precisa incorporar alguns elementos do DDA/DDAH.

Você tem de aprender a processar informações com rapidez, a trabalhar no meio do que seus pais chamariam de ambiente "caótico", a estar sempre preparado para passar instantaneamente de uma atividade para outra e a redirigir a atenção entre tarefas competidoras entre si sem se perder e sem perder tempo. Essa facilidade de processar informações velozmente requer alterações profundas no cérebro. E essas modificações têm um preço — uma desvalorização da profundidade e da qualidade de nossas relações.

Eis um caso: uma paciente minha, que trabalha como condutora de metrô, certa vez teve o azar de ser testemunha de um suicídio — o homem jogou-se na frente do trem que ela conduzia. A angústia e o sofrimento que se apossaram dela depois desse episódio convenceu seus empregadores de que precisava de ajuda, e mandaram-na a meu consultório. A parte mais difícil daquela provação, conforme suas palavras, era que ninguém lhe concedia mais que alguns minutos para relatar a história. Ou a interrompiam, ou, como dizia a paciente, "desligavam-se aos poucos".

"Parece que não consigo contar o que aconteceu com a velocidade necessária", disse-me ela. "Ninguém mais tem tempo para ouvir."

A falta de "tempo para ouvir" não é apenas o resultado das cargas de trabalho maiores (embora esse fator com certeza desempenhe um papel), e sim de uma reorganização do cérebro. Sobrecarga sensorial é o termo psicológico para esse processo, mas você não precisa ser psicólogo para entendê-lo. Nosso cérebro está sendo obrigado a administrar quantidades crescentes de informações em intervalos de tempo cada vez menores. Como nem todos são capazes de efetuar essa transição, experiências como as de minha paciente estão se tornando mais comuns.

"Não me diga nada que leve mais de trinta segundos para você falar", declarou um de meus amigos adultos com DDA/DDAH à sua mulher, em resposta ao que considerava mera tagarelice dela. Na verdade, ela só estava usando o tempo necessário para explicar uma questão complicada com os detalhes indispensáveis.

"O ritmo vertiginoso da vida de hoje, criado pela tecnologia e pelo imperativo comercial de aumentar a eficiência, é algo em que devemos prestar atenção", diz David Shenk em seu importante livro intitulado *Data Smog* [Poluição de Dados]. "Muitas vezes sentimos a vida correr muito, muito mais depressa do que gostaríamos, pois somos levados de uma reunião a outra, de um telefonema a outro, de uma tarefa a outra. Temos menos tempo para nós, e espera-se que melhoremos nosso desempenho e nossa produtividade ano após ano."

Em relação ao impacto da tecnologia sobre nós, Jacques Barzun, em seu *best-seller Da Alvorada à Decadência* (Campus, 2002), comenta: "A máquina faz de nós seus servos cativos — por meio de seu ritmo, de sua conveniência, do custo de desligá-la ou pelos problemas criados por não usá-la. Como cativos, *ficamos parecidos com ela em seu ritmo, rigidez e expectativas uniformes*". [Itálicos nossos.]

Quer você concorde ou não que estamos começando a parecer máquinas, tenho certeza de que pode se lembrar facilmente de reflexos do efeito da tecnologia da comunicação sobre sua identidade e comportamento. O cinema, por exemplo, fornece muitos pontos de referência e uma linguagem para descrever e até vivenciar nossa realidade pessoal.

Enquanto dirigimos o carro ao ir para o trabalho de manhã, parece que ligamos o botão de avanço e nos colocamos mentalmente meia hora adiante, na reunião do escritório que teremos dali a pouco. Em nossa imaginação, representamos uma série de "cenas" que podem acontecer. Alguns minutos depois, ao entrar na garagem, temos um *flashback* da "cena" desajeitada ocorrida na reunião da semana passada e "ensaiamos" uma "tomada" melhor.

É claro que usar a linguagem da tecnologia mais recente na conversa não constitui novidade. Logo depois de sua introdução, as ferrovias, os telégrafos e as mesas de controle dos telefones ofereceram metáforas úteis para descrever experiências cotidianas. As pessoas falavam que havia alguém "telegrafando" suas intenções ou que uma personalidade vivia "plugada" na última moda.

NERVOS MODERNOS

Em 1891, o crítico vienense Hermann Bahr previu a chegada do que ele chamava de "novos seres humanos", caracterizados por uma maior energia nervosa. Uma pessoa com "nervos modernos" era "inteligente, eficiente e rápida, rigorosamente pontual, fazendo tudo em dobro", escreve o professor de Ciências Sociais Peter Conrad em *Modern Times, Modern Places* [Tempos Modernos, Lugares Modernos].

Na década de 1920, os indícios dos nervos modernos foram ilustrados tanto pelos filmes mudos, com seu movimento acelerado, quanto pela mudança no uso de drogas daquele tempo, que passaram de agentes sedativos, como o ópio, para a cocaína, sintetizada recentemente — uma modificação que substituiu a imobilidade lânguida pela hiperatividade frenética e pela "mania de mobilidade".

Joseph Breuer, que colaborou com Sigmund Freud na obra *Estudos sobre a Histeria* [Imago, 1969], comparou o sistema nervoso moderno com uma linha telefônica feita de nervos em "excitação tônica". Se os nervos ficassem sobrecarregados com uma "corrente" forte demais, afirma ele, os resultados seriam faíscas, desgaste do material isolante, filamentos chamuscados, curtos-circuitos — em resumo, um modelo de histeria. Portanto, a mente era uma máquina e a melhor forma de entendê-la era com o emprego de metáforas mecânicas. Os atletas adotaram essa idéia e pretenderam transformar o corpo num organismo muito bem sintonizado e capaz, como as máquinas, de responder instantaneamente. "Os circuitos nervosos por meio dos quais a vontade é traduzida em movimento físico são treinados até reagirem ao mais leve impulso", escreveu um comentarista dos anos 1920 sobre o "culto" ao esporte.

O RITMO ALTERNANTE DA VIDA

Em 1931, o historiador James Truslow Adams observou: "À medida que o número de sensações aumenta, o tempo que temos para reagir a elas e digeri-las fica menor (...) o ritmo de nossa vida se acelera, o comprimento de onda (...) de nossa vida mental diminui. Esse tipo de vida tende a se tornar mera procura de mais e mais sensações excitantes, solapando ainda mais a capacidade de concentração mental. A redução da fadiga e do tédio é procurada na mera excitação de nossos nervos, como em carros de alta velocidade ou em filmes piegas".

Nos mais de setenta anos decorridos desde que Adams fez esse comentário, a velocidade passou a integrar nossa vida. Segundo afirmou Todd Gitlin, um crítico de mídia, ao escrever para *Media Unlimited*, "a velocidade não é um acaso no mundo moderno — a velocidade da produção, a velocidade da inovação, a velocidade do investimento, a velocidade do ritmo da vida e do movimento das imagens —, mas sua essência... A velocidade é um meio ou um fim? Se for um meio, é tão onipresente que se *torna* um fim".

Na sociedade contemporânea, a velocidade é o parâmetro aplicado a quase tudo o que fazemos. A mídia, e sobretudo a TV, é o exemplo mais impressionante dessa aceleração. "É a torrente ilimitada da mídia que aumenta a sensação de que toda a vida está avançando a jato ou superando a última barreira da velocidade", diz Gitlin. "A aceleração mais difundida de nosso tempo, e a que trouxe mais conseqüências, é a da sucessão das imagens — a velocidade com que elas correm o mundo, a velocidade com que cedem lugar a mais do mesmo, o ritmo com que se movem."

Em resposta a essa torrente de mídia, o cérebro tem de fazer ajustes fundamentais. A demarcação entre aqui e outro lugar qualquer se dilui. Graças à tecnologia, todos nós existimos simultaneamente, não apenas em um único *aqui*, mas em vários. Tomamos um cafezinho enquanto falamos com um amigo e recebemos e-mails em nosso palm. Quando isso acontece, onde estamos *realmente*? Nesses casos, o que está em jogo é nada menos que uma mudança essencial em nosso conceito de tempo e espaço.

ONDE É ONDE?

"A modernidade é a aceleração do tempo e a dispersão dos lugares. O passado pode ser evocado instantaneamente no presente", diz Peter Conrad. Um exemplo: eu estava num restaurante em Washington, há pouco tempo, enquanto assistia a um jogo de futebol que estava acontecendo em outro fuso horário. Durante o intervalo da partida, a tela mostrou trechos de um jogo ocorrido há mais de uma década. O comentarista fez uma rápida observação sobre as semelhanças e as diferenças entre os dois jogos e depois voltou à ação da partida em andamento. Durante esse período, eu estava participando de um "presente" compreendido por dois fusos horários diferentes, além de um "passado" extraído de um evento transcorrido doze anos antes. Esse tipo de experiência deixou de ser inusitado. A tecnologia coloca-nos rotineiramente em relações ambíguas de tempo e espaço.

Outro exemplo: recentemente, quando estava na praia, em South Beach, Miami, fiquei impressionado com o número de pessoas que falavam em celulares, ao mesmo tempo que passavam a tarde com a pessoa que as acompanhara àquele lugar. Numa situação dessas, o *aqui* é ao menos em parte influenciado pela tecnologia do celular, que tanto liga (o usuário e a pessoa invisível ao telefone) quanto isola (o usuário e a pessoa temporariamente negligenciada deitada ao seu lado na praia). Essas tecnologias estão obrigando o cérebro a se reestruturar e a se acomodar a um mundo de múltiplas identidades e presenças.

Do ponto de vista intelectual, sempre soubemos que a "realidade" do aqui e agora diante de nossos olhos é apenas uma entre muitas. Mas nunca experimentamos diretamente essa realidade multifacetada até a tecnologia possibilitar a comunicação de um canto do mundo a outro e acabar com as diferenças de tempo, espaço e lugar. Ao começar pelos telefones, tornamo-nos capazes de vivenciar a "realidade" de pessoas em locais muito distantes entre si. Com o celular, esse processo ficou ainda mais íntimo. Tempo, distância, noite e dia — os papéis do mundo natural e físico — deixaram de ser fatores de limitação.

Embora alguns de nós adorem essas experiências e a sensação de estar o tempo todo conectado, outros têm a impressão de que um gigantesco tentáculo eletrônico vai agarrá-los a qualquer momento.

Minha intenção não é criticar a tecnologia mas sim enfatizar a revolução que ela está gerando no funcionamento de nosso cérebro. Se, por meio da tecnologia, uma pessoa está imediatamente à disposição em qualquer momento, "aqui" e "agora" perdem seus significados característicos. Atingimos aquela "aceleração do tempo e dispersão dos lugares" de que fala Peter Conrad.

No entanto, há um paradoxo irônico em tudo isso: em decorrência dos avanços tecnológicos, participamos de "realidades" diferentes e discrepantes; mas, em função de nossos problemas de atenção e concentração, não conseguimos participar delas plenamente. Podemos conversar simultaneamente com alguém em Hong Kong, pelo telefone, e com alguém bem diante de nossos olhos. Mas, por causa de nossa distração, não nos concentramos inteiramente em nenhuma das duas pessoas. O que fazer?

UM PLÁSTICO NO QUEIJO

"Se pudéssemos aprender a fazer várias coisas ao mesmo tempo com eficiência, as pressões que o tempo impõe sobre nós desapareceriam", dizemos a nós mesmos. À primeira vista, a realização de múltiplas tarefas parece uma resposta sensata aos nossos horários apertados e agendas sobrecarregadas. Em vez de nos limitarmos a apenas uma atividade, por que não realizar várias concomitantemente? Se você precisa telefonar para sua mãe, por que não fazê-lo quando está na cozinha esperando a água do macarrão ferver? E, se a mãe ligar primeiro, por que não conversar com ela enquanto adivinha as palavras cruzadas de hoje?

Na verdade, fazer muitas coisas ao mesmo tempo não é tão eficiente quanto a maioria de nós foi levada a acreditar. Na verdade, realizar mais de uma coisa de cada vez, ou começar e largar uma tarefa para se dedicar a outra, retomando a primeira dali a pouco, envolve alterações no processamento cerebral que consomem tempo e reduzem a eficiência na realização de ambas.

Toda vez que você muda o foco de sua atenção, os lobos frontais — os centros de controle executivo localizados na parte da frente do cérebro — têm de mudar de objetivo e ativar novas regras de funcionamento. Conversar ao telefone e fazer palavras cruzadas ativa regiões diferentes do cérebro, envolve músculos diferentes e induz diferentes experiências sensoriais.

Além disso, a passagem de uma atividade para outra pode levar até sete décimos de segundo. Sabemos disso por causa da pesquisa de Joshua Rubinstein, um psicólogo do Centro Técnico William J. Hughes, da Administração da Aviação Federal, em Atlantic City.

Rubinstein e seus colaboradores estudaram formas de perda de tempo que se manifestavam quando alguns voluntários mudavam de atividades com diferentes graus de complexidade e familiaridade. As observações mostraram que os voluntários perdiam tempo durante essas mudanças, sobretudo quando deixavam de executar uma tarefa habitual para fazer algo que nunca tinham feito antes. Além disso, as perdas de tempo aumentavam em proporção direta à complexidade das tarefas. Para explicar esse fato, os pesquisadores postularam um estágio de "ativação da regra", quando o córtex pré-frontal "desabilita" ou desativa as regras usadas para a primeira atividade e depois "habilita" ou ativa aquelas relativas à nova ocupação. É esse processo de desativação, seguido de reativação, que leva mais de meio segundo. Em determinadas circunstâncias, essa perda de tempo causada pela realização concomitante de múltiplas tarefas não é apenas ineficiente, mas também perigosa.

Lembra-se da especulação de que é possível diminuir o número de acidentes de carro relacionados ao uso de celular se os motoristas usarem um aparelho que deixe as mãos livres? Bem, essa suposição não é corroborada pela pesquisa do cérebro. A utilização do celular ao volante — quer deixe ou não as mãos livres — divide a atenção do motorista e aumenta sua distração.

Num estudo importante realizado pelo psicólogo Peter A. Hancock, da Universidade Central da Flórida, em Orlando, e por mais dois pesquisadores da Companhia de Seguros Liberty Mutual, alguns voluntários simularam usar um celular que deixava as mãos livres enquanto dirigiam. Eles receberam instruções para responder à campainha de um telefone instalado no painel do carro. No instante em que ouvissem o telefone tocar, tinham de verificar se o primeiro dígito de um número mostrado numa tela de computador do painel do carro era o que haviam memorizado antes. Se o primeiro dígito fosse o mesmo, o motorista deveria apertar um botão. Enquanto isso, tinha de obedecer a todas as leis de trânsito e, na situação-teste, parar o carro.

Embora nos motoristas mais jovens a distração provocada pela campainha do celular só tivesse um pequeno efeito sobre a distância percorrida pelo carro até parar (0,61 segundo, em vez de 0,5 segundo), houve profundo impacto sobre esse parâmetro no caso de motoristas entre 55 e 65 anos: 0,82 segundo, em lugar de 0,61 segundo, de acordo com os pesquisadores. Em outras palavras, a distração reduz a eficiência.

Em outro teste sobre o custo da realização simultânea de múltiplas tarefas, foram feitas tomografias em voluntários do Centro de Imagens

Cognitivas do Cérebro, da Universidade Carnegie Mellon de Pittsburgh, enquanto eles ouviam algumas frases e giravam mentalmente pares de figuras tridimensionais. Os pesquisadores descobriram um declínio de 29% da atividade cerebral produzida pelo giro mental das figuras quando as pessoas também estavam ouvindo as frases do teste. Essa redução estava ligada a uma diminuição geral de eficiência: os voluntários precisavam de mais tempo para realizar cada tarefa.

Detectou-se ainda um declínio de eficiência quando os pesquisadores observavam o efeito do giro mental de imagens sobre a leitura. Descobriram que a atividade cerebral gerada durante a leitura das frases diminuía 53% quando os indivíduos também estavam tentando girar objetos mentalmente.

Há perda semelhante de eficiência quando as atividades são alternadas. David E. Meyer, professor de psicologia matemática da Universidade de Michigan, em Ann Arbor, recrutou adultos jovens para participar de um experimento no qual deveriam passar rapidamente da tentativa de resolver problemas matemáticos para a identificação de formas. Os voluntários precisaram de mais tempo para executar ambas as tarefas, e sua precisão caiu verticalmente se comparada ao seu desempenho quando estavam concentrados em cada uma das tarefas em separado.

"Não só a velocidade do desempenho e a precisão dos resultados, mas também o que chamo de fluência do desempenho, de elegância do desempenho, foram negativamente afetadas pela sobrecarga da realização concomitante de múltiplas tarefas", diz Meyer.

Tudo isso leva a uma regra simples: apesar de nossos sentimentos subjetivos em contrário, na verdade o cérebro só consegue trabalhar com uma coisa de cada vez. Em vez de nos permitir fazer duas coisas ao mesmo tempo com eficiência, a realização de múltiplas tarefas resulta em mudanças de nossa atenção que implicam perda de eficiência. Em resumo: o cérebro foi concebido para trabalhar com o máximo de eficiência quando se dedica a uma única tarefa e durante períodos de tempo contínuos, em lugar de intermitentes. Isso não significa que não possamos nos dedicar a algumas atividades simultaneamente. Mas o preço é a redução de eficiência e precisão.

No entanto, apesar da evidência neurocientífica em contrário, estamos sendo levados a achar que *devemos* realizar múltiplas tarefas ao mesmo tempo para nos mantermos à tona em meio à crescente enchente de demandas cotidianas. Em vez de "estar aqui agora", somos incentivados a dividir a atenção em vários fragmentos e a nos convencer de que a realização de múltiplas tarefas aumenta a eficiência mental.

Mas a realização simultânea de múltiplas tarefas tem seu preço. É verdade que, às vezes, o custo é baixo, ridículo mesmo, como no caso da seguinte experiência de uma jovem mãe: "Eu tinha de me vestir para assistir à apresentação do coral de minha filha que está no ensino fundamental, fazer com que outro de meus filhos começasse a fazer os deveres de casa e dar comida para a outra ainda, que precisava se aprontar para ir ao jogo de futebol. Além disso, é claro que o telefone não parava de tocar. Achei que estava com tudo sob controle quando começaram as queixas sobre o queijo esturricado. Sem me sentir irritada demais, rosnei para ela engolir aquilo do jeito que estava para eu poder acabar de me vestir. O que mais eu poderia fazer com uma pressa daquelas? E então minha filha disse: 'Não dá para comer isso, não, mamãe. Você se esqueceu de tirar o plástico do queijo'."

Outras vezes, o custo de realizar múltiplas tarefas pode ser muito menos engraçado. Imagine-se dirigindo com trânsito fluente num dia claro enquanto conversa com um amigo pelo celular. Você não está tendo dificuldade nenhuma de manobrar o veículo e manter a conversa ao mesmo tempo. Mas, cinco minutos depois, você entra numa região de tráfego mais pesado e começa uma chuva torrencial. Seu impulso é encerrar a conversa e prestar mais atenção à rua, mas seu amigo continua falando. Afinal de contas, ele, no conforto do escritório ou de casa, não está enfrentando as mesmas condições arriscadas. Você continua conversando mais um pouco, alternando a atenção entre a conversa fiada e as condições do trânsito, que estão se deteriorando rapidamente. Por causa disso, você não percebe que a caminhonete à sua direita está começando a ir em sua direção... Os sobreviventes nunca vão saber que a atenção dividida, com sua concomitante redução sobre a eficiência do cérebro, levou você àquele acidente fatal.

Em essência, o cérebro tem certos limites que temos de aceitar. Embora seja verdade que podemos treiná-lo no sentido de realizar múltiplas tarefas ao mesmo tempo, nosso desempenho geral em cada uma delas vai ser menos eficiente do que se fizéssemos só uma coisa por vez.

A GEOGRAFIA DO CÉREBRO

Apesar da ineficiência da realização simultânea de várias tarefas, o cérebro consegue fazer mais de uma coisa por vez. Caso contrário, não poderíamos "andar e mascar chiclete ao mesmo tempo", como disse certa vez um crítico maldoso referindo-se a um ex-presidente dos Estados Unidos. A saída é evitar atividades que interrompam o fluxo da ocupação principal.

Eis um exemplo: ouvir música pode, na verdade, aumentar a eficiência daqueles que trabalham com as mãos. Ouvi falar disso pela primeira vez há mais ou menos um ano, quando um desenhista comentou comigo que se sentia mais relaxado e trabalhava melhor em ambiente com música de fundo. Muitos cirurgiões dizem coisa parecida. Num estudo que pretendia testar essas afirmações, alguns pesquisadores ligaram cinqüenta cirurgiões homens entre 31 e 61 anos a máquinas que mediam a pressão sangüínea e o número de batimentos cardíacos. Então, os cirurgiões resolveram exercícios de aritmética destinados a simular o estresse que se esperava que sentissem na sala de operações. Em seguida, repetiu-se o exercício com os cirurgiões que ouviram seleções de músicas escolhidas por eles próprios. O desempenho melhorou quando estavam ouvindo música.

Em outro estudo, ouvir música aumentou o estado de alerta e a concentração dos cirurgiões. Que tipo de música era melhor? Entre as cinqüenta peças instrumentais escolhidas, 46 eram concertos, com *As Quatro Estações,* de Vivaldi, no topo da preferência, seguida pelo *Concerto para Violino opus 61,* de Beethoven, *Concertos de Brandenburgo,* de Bach, e *Cavalgada das Valquírias,* de Wagner — não exatamente nosso repertório de "música fácil".

A questão, no entanto, não é a música ser fácil, segundo um dos cirurgiões entrevistados. "A sala de operações está cheia de coisas que acontecem, mas, se você tiver a música, consegue operar. A música não é uma distração, mas sim uma forma de bloquear todas as outras distrações."

Não há dúvida de que a música exerce efeitos positivos no desempenho cirúrgico, ao menos em parte em conseqüência de seus aspectos cinestésicos, uma observação de Sócrates em *A República,* de Platão: "Mais que qualquer outra coisa, o ritmo e a harmonia conseguem chegar às profundezas da alma e ter grande impacto sobre ela". Graças à música, o cirurgião fica mais concentrado, alerta, tecnicamente eficiente e — o mais importante — no estado de espírito que mais favorece a cura. "Considere *La Bohème,* de Puccini", diz Blake Papsin, um cirurgião otorrinolaringologista que vive em Toronto. "É uma peça lindíssima que leva o espírito humano a trabalhar, a cuidar, a amar — e é isso que é uma cirurgia."

A música e atividades manuais que exigem habilidade ativam zonas diferentes do cérebro, o que evita a interferência e a competição. Mas, se o cirurgião ouvisse um livro gravado em fita, em vez de uma composição musical, provavelmente haveria interferência. Imaginar uma cena descrita pelo narrador interferiria com as imagens espaciais do cirurgião. Ouvir um livro gravado em fita ativaria áreas semelhantes do cérebro e geraria competição entre a atenção necessária para operar bem e com precisão e aquela exigida para compreender as imagens e a história. Aqui temos um exemplo do princípio da *geografia do cérebro:* a melhor forma de o cérebro trabalhar é com a ativação de áreas diferentes e não de zonas semelhantes. É por isso que rabiscar um papel enquanto se conversa ao telefone não é problema para a maioria, uma vez que a fala e o desenho utilizam diferentes áreas do cérebro. Mas escrever um bilhete de agradecimento quando a pessoa está ao telefone resulta em sobrecarga mental, porque falar e escrever usam parte do mesmo circuito cerebral.

Graças às novas tecnologias, e sobretudo a procedimentos como a obtenção de imagens por ressonância magnética, os neurocientistas logo vão conseguir fazer listas de atividades que podem ser realizadas ao mesmo tempo com um mínimo de perda de eficiência ou precisão. Mas, em geral, é melhor ter em mente que quase sempre pagamos um preço por realizar simultaneamente duas atividades.

Capítulo 4

MAIS IMAGENS QUE NUNCA

Será que seu excesso desestabiliza o cérebro?

Até agora exploramos a maneira pela qual as pessoas com excelente desempenho aumentam a capacidade de concentração e o foco, e como a vida moderna está afetando as demandas impostas ao cérebro. Mas o cérebro se ocupa com outras coisas afora a lógica, a eficiência e o desempenho excepcional. Ele também é a sede de nossos medos, preconceitos e outras emoções negativas. A pesquisa recente aponta para os efeitos potencialmente lesivos ao cérebro que as imagens de horror e violência da mídia podem causar. Descobriu-se que essas imagens ativam as mesmas áreas cerebrais envolvidas nos sentimentos e expressões das emoções da vida real. Para entender a relação entre imagens perturbadoras e excitação emocional, seria bom elaborar um resumo do processamento emocional que acontece no cérebro.

Todas as nossas formas de expressão e percepção emocional remontam aos neurônios corticais e subcorticais conhecidos coletivamente como sistema límbico: uma rede interconectada de centros localizados dentro e abaixo do córtex, que contribui para a experiência e a expressão de emoções. Seus componentes mais importantes aparecem na ilustração do começo deste livro: o giro cingulado, o hipocampo e a amígdala. Essa rede é particularmente importante na mediação da violência e da agressividade, inclusive de respostas ameaçadoras a invasões de território e do espaço pessoal.

Para ter uma idéia da estrutura do sistema límbico, imagine que você está cortando um melão maduro exatamente ao meio. Depois você separa as duas partes e examina o aspecto de cada metade por dentro. A estrutura mais importante que se pode ver dessa perspectiva é o corpo caloso — uma ponte de fibras que conectam os dois hemisférios cerebrais. O tecido cerebral que compõe um aro ou coroa em volta do corpo caloso é chamado de lobo límbico (a palavra latina *limbus* quer dizer franja ou orla) e forma o componente cortical do sistema límbico.

Observe a amígdala na ilustração do começo deste livro: um nucleozinho em forma de amêndoa (em latim, *amygdala* significa amêndoa) na ponta dos lobos temporais de ambos os lados do cérebro. Descobriu-se que se trata de uma das estruturas mais importantes que temos para a intermediação das emoções. Como sabemos disso? Com base em alguns experimentos inteligentes realizados com animais.

Uma experiência particularmente reveladora, conduzida na década de 1980 por J.L. Downer, da Universidade de Londres, testava a maneira pela qual um macaco reagiria se fosse privado da atividade de suas amígdalas. Para criar essa situação, Downer modificou cirurgicamente o cérebro do animal, de modo que ele ficou com uma só amígdala em funcionamento (normalmente são duas, uma de cada lado). Além disso, a única amígdala restante tinha acesso apenas a informações visuais transmitidas pelo olho do mesmo lado.

Downer descobriu que, quando o macaco olhava para o mundo com o olho conectado à amígdala, seu comportamento era típico de um animal em cativeiro: amedrontado, agressivo e marcado por tentativas de evasão e fuga. O cientista descreve seu comportamento da seguinte maneira: "Quando os observadores olhavam para a jaula, o animal mostrava os dentes e precipitava-se para a frente, pulando diante da porta e tentando morder e arranhar". Depois, na segunda parte do experimento, Downer cobriu aquele olho, de modo que o macaco foi obrigado a usar o olho desconectado da amígdala. O animal sossegou e podia ser manipulado com facilidade; chegou até a se aproximar do pesquisador e a pegar uvas-passas em sua mão.

Em resumo, um macaco privado de uma amígdala perde sua capacidade natural de interpretar e responder de maneira apropriada à ameaça potencial de um ser humano que se aproxima dele. Incidentalmente, o macaco respondeu de forma normal quando tocado num dos lados do corpo, e isso sugere que a ameaça transmitida por meio da sensação do tato conseguia chegar à sua única amígdala.

Pense na amígdala como um dispositivo que, entre outras funções, avalia o ambiente em termos de perigo e ameaça. Quando não está trabalhando direito, as ameaças podem ser ignoradas; por outro lado, a hiperatividade da amígdala pode resultar em medo excessivo. A estimulação elétrica das amígdalas de animais induz reações de medo, como o aumento dos batimentos cardíacos e da freqüência da respiração, além de liberar hormônios de estresse na corrente sanguínea. A mesma reação aparece se um animal passa por condicionamento do medo.

Num experimento típico de condicionamento do medo, um animal, em geral um rato, é colocado numa gaiola especial cujo piso pode transmitir choque elétrico. No início, ouve-se um som seguido por um choque moderado e breve nos pés. Só depois de algumas combinações do som com o choque é que o rato começa a sentir medo quando ouve apenas o som. Ele fica paralisado no lugar onde está, seus pêlos eriçam-se, os batimentos cardíacos e a pressão arterial se elevam e hormônios de estresse são liberados na corrente sanguínea. Mas o condicionamento do medo pode ser bloqueado se ambos os circuitos que levam às amígdalas forem destruídos.

UM EQUILÍBRIO DELICADO

O córtex pré-frontal, que controla o medo e a agressividade, está intimamente ligado ao sistema límbico de mediação das emoções. Essa função dupla é importante porque o medo e a agressividade estão muito ligados entre si. Por exemplo: se alguém faz um barulho muito alto e alarmante atrás de suas costas, é provável que você, em seu terror momentâneo, reaja com raiva contra o agressor. Você pode virar-se rapidamente e xingá-lo, acusando-o de "falta de cuidado" ou de "estupidez". Se você ficar muito assustado, pode até atacar fisicamente o agressor. Essa seqüência de medo e raiva origina-se no sistema límbico.

Mas, para a maioria de nós, as forças contrárias de nossa personalidade levam-nos a pesar as conseqüências de uma reação abertamente agressiva. Na maioria dos casos, não agredimos ninguém. Refreamos a raiva momentânea e, alguns segundos depois, até pedimos desculpas pelos sinais de irritação que mostramos. O córtex pré-frontal é o "instrutor" que nos ajuda a manter o controle. Ele aconselha moderação, sugere que coloquemos tudo em seu contexto e sigamos em frente. Uma lesão do córtex pré-frontal resulta na perda do controle e na incapacidade de inibir a agressividade e de exercer a capacidade de julgamento.

A pesquisa cerebral recente indica que o córtex pré-frontal e o sistema límbico coexistem num estado de equilíbrio delicado. Quando as emoções ameaçam sair do controle, o córtex pré-frontal entra em ação e restaura o equilíbrio. A atividade do córtex pré-frontal é de fato um indício de desequilíbrio entre o sistema límbico e os lobos pré-frontais. Embora as situações da vida real sejam o fator que perturba o equilíbrio entre os lobos pré-frontais e o sistema límbico, pesquisas feitas pelos Institutos Nacionais de Saúde, no Estados Unidos, e por outras instituições indicam que imagens vistas na televisão ou no cinema podem ser igualmente eficazes para desestabilizar o "pensamento" e o "sentimento" do cérebro.

IMAGENS E COMUNICAÇÃO EMOCIONAL

As imagens desempenhavam um papel limitado na comunicação das emoções antes do surgimento da fotografia, do advento do cinema e do aparecimento dos filmes mudos, em meados da década de 1890. Até essa época, todas as informações eram transmitidas por meio da palavra impressa ou falada. Mas as fotografias e os filmes mudaram isso: as imagens começaram a substituir as palavras como meio de troca de informações.

Com a chegada da televisão, as imagens tornaram-se mais onipresentes ainda. Passamos a prescindir do cinema, pois a televisão levou as imagens para dentro de casa. Em 1960, o número de telespectadores americanos atingiu o patamar de 50 milhões, com mais moradias com aparelhos de TV que banheiros dentro de casa. Hoje em dia, a televisão é tão comum que a maioria das pessoas conta com dois ou mais aparelhos de tamanhos variados distribuídos pela casa. As imagens passaram a ser o principal canal de informações de nossa cultura. De acordo com o cientista político Benjamin R. Barber, "as imagens, reforçadas pelo som gravado, tomam o lugar das palavras, dos números e de outros códigos por meio dos quais os seres humanos se comunicavam nas sociedades tradicionais".

Além disso, o ritmo com que essas imagens nos são apresentadas tem sido extraordinariamente acelerado graças à digitalização e ao computador. As imagens e os sons associados a um evento em qualquer lugar do planeta podem ser transmitidos instantaneamente. Como as imagens — ao contrário da escrita ou da fala — são imediatas e não requerem pensamento ou análise, superaram as palavras como o principal meio pelo qual o saber é comunicado. Isso traz conseqüências importantes.

Segundo Barber, essa passagem da palavra impressa numa página para imagens numa tela resulta numa "reformatação colossal da condição humana... Os formatos e embalagens mudaram (televisão, vídeos e telas de computador), mas o resultado ainda são imagens em movimento que passam diante de olhos humanos. A abstração da linguagem verbal é suplantada pela literalidade das imagens — a um custo ainda indeterminado em termos de imaginação, que definha à medida que fazem seu trabalho por ela".

Agora é possível vermos e repetirmos imagens de eventos perturbadores e alarmantes como se estivessem realmente acontecendo diante de nós. Os horrores de um episódio como o ataque terrorista ao World Trade Center podem ser revividos — muitas vezes inesperadamente, quando ligamos a televisão e somos expostos à reprise da tomada de um avião atingindo uma das torres. A qualidade das imagens também melhorou tanto que a descrição de desastres (expressões faciais de horror, imagens sangrentas de morte e mutilação) se dá com uma verossimilhança que se aproxima das percepções de alguém realmente presente. Só há pouco tempo os neurocientistas perceberam quanto essas experiências podem ser destrutivas.

Conforme um estudo realizado no Instituto Nacional de Distúrbios Neurológicos e Acidentes Cerebrovasculares (NINDS) por Marina Nakic, o simples fato de ver imagens violentas ou agressivas, como aquelas que aparecem rotineiramente na televisão e no cinema, é suficiente para ativar o córtex pré-frontal. E o córtex órbito-frontal é particularmente sensível à ativação. Essa área está em íntimo contato com os centros emocionais das amígdalas e de outros componentes do sistema límbico. Logo depois da ativação órbito-frontal, o cérebro cria circuitos que codificam as imagens para que possam ser vistas de novo em outro momento.

Mais tarde, a nova exposição às mesmas cenas de violência, horror ou mutilação — ou a situações parecidas — fortalece os circuitos recém-criados, além de induzir a formação de outros em áreas importantes para a emoção. Sempre que a imagem que provoca excitação emocional é revista, esses circuitos são ativados e o cérebro reage com excitação emocional.

Uma pesquisa neurocientífica recente indica que alguns indivíduos podem correr um perigo maior de danos psicológicos ao ver imagens perturbadoras, afirma Richard Davidson, professor de psicologia e psiquiatria da Universidade de Wisconsin-Madison. Em seu laboratório, Davidson usa imagens obtidas por meio de tomografia e ressonância magnética para comparar o cérebro de pessoas sempre exageradamente tristes e pessimistas com o daquelas que mantêm a tranqüilidade mesmo nas circunstâncias mais difíceis. "Descobrimos que há diferenças em determinados circuitos do cérebro que distinguem essas pessoas positivas e felizes das que mostram mais vulnerabilidade em resposta a eventos de grande impacto emocional em sua vida", diz ele.

Analisando imagens obtidas com tomografia e ressonância magnética, Davidson observou maior ativação do córtex pré-frontal esquerdo nos indivíduos com visão de mundo positiva e otimista. Eles também exibem inibição das amígdalas, o que eu já mostrei ser importante no controle da reação emocional. Entre as pessoas infelizes e vulneráveis, acontece exatamente o oposto: maior ativação das amígdalas combinada ao aumento da atividade do córtex pré-frontal direito, e não do esquerdo. Essas diferenças têm implicações práticas quando se trata de assistir a imagens de vídeo.

Entre adultos, Davidson descobriu que certos tipos de atividade dos lobos do córtex pré-frontal indicam como uma pessoa vai provavelmente reagir a filmes que mostram situações positivas ou negativas — uma festa em contraposição a um acidente de carro, por exemplo. Aqueles com maior atividade do lado direito apresentam risco mais elevado de sentir emoções desagradáveis diante de uma situação negativa. Aqueles com atividade do lado esquerdo não respondem de modo tão traumático.

Em outras palavras: se expostos a imagens de vídeo de horror e mutilação, nem todos são afetados da mesma maneira. O problema é que, no momento, não existe nenhuma forma de prever — a não ser com imagens do cérebro obtidas com tecnologias não-invasivas — como alguém vai reagir a cenas perturbadoras.

O PROCESSO DE DESESTABILIZAÇÃO DO CÉREBRO

Eu próprio já senti os efeitos desestabilizadores de imagens violentas há vários anos quando dei uma aula sobre o cérebro a um grupo de investigadores criminais da Academia do FBI em Quantico,Virgínia. À guisa de conclusão de minha exposição, vários dos agentes me convidaram para ver e comentar uma série de interrogatórios gravados em fitas de vídeo. Entre eles havia o interrogatório de um *serial killer* e o de vários assassinos condenados por crimes horrendos.

Com o intuito de transmitir o máximo possível de informações, os agentes apresentaram as entrevistas numa tela dividida. De um lado, ficavam o interrogador e o assassino; do outro, aparecia uma cena gravada do crime com todos os seus detalhes medonhos. Achei particularmente chocante o contraste entre a atitude prosaica, o tom de voz calmo e a falta de emoção do assassino e as imagens horríveis de sangue e esquartejamento na outra metade da tela.

Mais tarde, naquela mesma noite, tive dificuldade para pegar no sono. Por mais que tentasse, não conseguia tirar aquelas cenas horríveis da cabeça. Fiquei acordado até por fim me acalmar depois de tomar um tranqüilizante. Lembre-se de que sou um médico diplomado, com décadas de experiência com sangue, mutilações e sofrimento humano. Mesmo assim, aquelas fitas de vídeo me perturbaram o bastante para interferir em meu sono por vários dias. Eis o que acho que aconteceu.

O hemisfério direito de nosso cérebro é especializado em trabalhar com imagens, não com palavras. Se você está dirigindo num lugar que não conhece ao mesmo tempo em que passa os olhos de relance por um guia de ruas, é basicamente o hemisfério direito que processa as linhas e figuras do mapa. Mas se, em vez disso, alguém sentado no banco do passageiro está lhe dando as coordenadas, o hemisfério esquerdo é o principal processador da descrição verbal de sua rota. É claro que os dois hemisférios não trabalham completamente separados um do outro. As ruas e os endereços têm de ser lidos pelo hemisfério esquerdo e, depois, as flechas e linhas serão traduzidas pelo hemisfério direito.

Quando deparamos com imagens emocionalmente neutras ou positivas, os hemisférios mantêm o equilíbrio entre si. Mas, quando a visão é de horror, carnificina, sofrimento, mutilação ou morte, o equilíbrio da atividade passa para o hemisfério direito, e o cérebro corre o perigo de se tornar sobrecarregado e disfuncional. É por isso que assistir a imagens de desastres tem um efeito mais poderoso sobre nossa estabilidade mental do que ler sobre esses eventos.

Uma imagem particularmente perturbadora processada pelo hemisfério direito pode sobrepujar as operações racionais com base na linguagem, que se dão no hemisfério esquerdo. Acho que minha reação aos vídeos do FBI foi resultado do efeito avassalador daquelas cenas horríveis sobre o equilíbrio entre o hemisfério direito e o esquerdo. Embora eu soubesse que tais imagens eram parte de uma investigação realizada mais de dez anos antes e que o assassino dos vídeos fora executado fazia muito tempo, a resposta do hemisfério direito às cenas suplantou as afirmações tranqüilizadoras do hemisfério esquerdo de que eu não tinha motivo para ficar perturbado daquele jeito.

Vários fatores ajudaram a diminuir a intensidade e a duração de minha reação ao episódio da Academia do FBI. Em primeiro lugar, eu disse aos agentes que, embora me sentisse feliz em ajudá-los ao assistir com eles aos interrogatórios, no futuro preferiria não ver os vídeos das cenas do crime apresentados na outra metade da tela. Em segundo lugar, consegui aliviar um pouco a angústia concentrando-me nos detalhes técnicos da investigação e nas sutilezas da descrição do criminoso. Os psiquiatras usam o termo "intelectualização" para descrever essa atitude de tirar da consciência um material de grande carga emocional por meio da concentração em fatos e técnicas. Esse "mecanismo de defesa" atua como salvaguarda contra uma violência emocional. Embora a intelectualização tenha funcionado no meu caso, fiz muitas vezes a seguinte pergunta a mim mesmo: "Supondo que eu tivesse sido obrigado a continuar a assistir àquelas fitas de vídeo, o que teria acontecido?"

É IMPOSSÍVEL DESLIGAR O CÉREBRO

Outra razão pela qual as imagens exercem tanto poder sobre nosso cérebro é que elas não são filtradas. A imagem de um sobrevivente de ataque terrorista que sangra guarda pouca diferença com a visão real daquela pessoa — sobretudo com as imagens de alta definição produzidas pelas máquinas fotográficas digitais. Por outro lado, uma descrição verbal leva mais tempo para ser lida, entendida e enfim — por um ato de imaginação — convertida em imagem interna. Como a maioria de nós tem pouca experiência com esse tipo de coisa, a imagem interna é genérica, menos focada, menos absorvente, menos desorientadora, menos demolidora.

Embora as palavras numa página nos abram para idéias e para a comunicação com os outros, as imagens não revelam idéias de forma tão precisa quanto as palavras e só possibilitam uma comunicação elementar com os outros. Muitas imagens parecem ter apenas o valor de um ponto de exclamação: "Olhe, que coisa horrível!" Além disso, elas exercem um poder hipnótico, uma influência aparentemente irresistível sobre nosso comportamento, algo que as palavras sozinhas não têm. Nos primeiros dias seguintes aos ataques terroristas em Nova York e em Washington, milhões de pessoas sentaram-se na frente do aparelho de televisão por horas a fio, assistindo a repetições intermináveis da filmagem dos aviões atingindo o World Trade Center e do colapso subseqüente das torres.

"Você continua a assistir porque acha que pode ter perdido alguma coisa. Mas e daí?", pergunta Paul Farhi, articulista do *Washington Post*. "Algo terrível sempre parece estar prestes a acontecer, para coroar as coisas terríveis que já aconteceram. E por isso você sai à caça, mudando de canal a toda hora até tarde da noite, ao mesmo tempo alarmado e ansioso. O que você não consegue desligar é seu cérebro." E não ser capaz de desligar o cérebro tem um preço.

Em resposta a uma pesquisa de opinião uma semana após os ataques terroristas, quase 75% dos americanos se referiram a sentimentos de depressão, metade afirmou ter sentido certa dificuldade para se concentrar e um terço sofreu de insônia. Além disso, quase dois terços disseram estar "viciados" em assistir a *replays* e noticiários sobre a tragédia. "Os americanos ficaram tristes, assustados e fatigados com o que estavam vendo", concluiu o relatório feito pelo Centro de Pesquisa Pew para a População e a Imprensa, um grupo independente de pesquisas de opinião. Howard Kurtz, crítico de mídia do jornal *The Washington Post*, foi mais direto ainda: "A cobertura de 24 horas por dia dos ataques contra Nova York e Washington, com suas imagens de morte e destruição e declarações freqüentes sobre uma guerra extenuante que está por vir, vem cobrando alto preço psicológico".

Segundo a psicóloga Roxanne Cohen Silver, que realizou uma pesquisa na esteira do 11 de setembro, assistir aos acontecimentos ao vivo na televisão produziu graus de angústia equivalentes, em certos casos, aos sofridos por pessoas presentes aos locais dos atentados ou em contato telefônico com alguém nos prédios ou nos aviões.

Entretanto, mesmo entre os que não costumam ver muito televisão, a exposição repetitiva de cenas de horror na TV pode ser desestabilizadora. Uma psiquiatra de Washington desligou o aparelho após o ataque terrorista porque percebeu que estava ficando angustiada demais com a visão de pessoas que pulavam do World Trade Center. Depois, entrou em contato com seus pacientes e sugeriu-lhes que limitassem o tempo de assistir à cobertura televisiva do acontecimento.

"O meio de comunicação visual é mais intenso", diz Erica Wise, psicóloga clínica e professora-adjunta da Universidade da Carolina do Norte, em Chapel Hill. "Com o rádio, as pessoas não são expostas a imagens que vão ficar se repetindo na cabeça muitas e muitas vezes."

As cenas de violência também podem induzir um comportamento atípico. Pense em Andalib Takafka, de 20 anos, descrita pelos parentes e vizinhos a um repórter do *The Washington Post* como "uma jovem despretensiosa de uma cidadezinha isolada ao sul de Belém que trabalhava numa confecção e não tinha muito interesse por política". Ela detonou uma bomba suicida em 12 de abril de 2002 num ponto de ônibus em Jerusalém três semanas depois de uma das incursões israelenses em território palestino. A mãe dessa mulher-bomba disse o seguinte ao repórter do *Post:* "Andalib via televisão o tempo todo. Assistia a todos os morticínios, os tanques, os helicópteros que atiravam. Via televisão até as 2 horas da manhã. Eu lhe dizia que devia ir dormir. Ela respondia com irritação, o que não era de seu feitio".

Duas semanas após o suicídio de Andalib Takafka com a explosão da bomba, Milad Mohammed Hemeida, um egípcio de 23 anos, aproximou-se de soldados israelenses anunciando: "Se alguém chegar perto de mim, eu vou me explodir". Depois de atirar nele, os soldados descobriram que Hemeida não estava com bomba alguma no corpo. Nas semanas anteriores à sua morte, Hemeida passou grande parte do tempo assistindo a gravações do conflito palestino-israelense mostradas em noticiários de TV a cabo. Na verdade, segundo o repórter Tim Golden, do *New York Times*, que investigou sua morte, Hemeida "ficou inusitadamente agitado com o que viu na televisão".

Imagens gravadas e apresentadas na TV depois que uma mulher ou um homem-bomba se suicidam exercem efeito semelhante sobre todos nós. Ficamos ao mesmo tempo horrorizados e *aterrorizados* (a palavra terrorismo deriva do termo latino *terrere*, que significa apavorar). Em seu livro *Terror in the Mind of God* [Pavor na Mente de Deus], o sociólogo Mark Juergensmeyer descreve seus sentimentos após assistir às imagens de um ônibus destruído por um homem-bomba perto da Universidade Hebrew

— o mesmo que ele tomara na véspera: "As imagens dos corpos mutilados naquela rua de Jerusalém (...) tiveram, portanto, um impacto direto e imediato sobre minha visão de mundo. O que percebi então é a mesma coisa que todos nós percebemos em algum nível quando vemos imagens de eventos terroristas: em outro dia, em outro momento, talvez em outro ônibus, um dos corpos que um desses ataques terroristas transforma em frangalhos pode ser o nosso".

Na verdade, as imagens podem ser tão vividamente gravadas pelo cérebro que se repetem espontaneamente, cobrando um preço que vai da ansiedade à síndrome de estresse pós-traumático (SEPT).

O PREÇO PSÍQUICO

Entre os sintomas da SEPT figuram lembranças recorrentes e invasivas de um acontecimento que envolveu morte, ameaça de morte ou ferimentos graves, combinadas a sonhos aflitivos sobre o evento. Mas um sintoma se destaca entre os demais: a reação extrema que se manifesta quando o portador da síndrome é exposto de novo a uma situação associada originalmente com o episódio traumático. Por exemplo, o sobrevivente de um acidente de carro sério pode reviver o trauma sempre que passar pelo local da cena do acidente.

Isso acontece porque o cérebro de alguém que sofre de estresse pós-traumático perde a capacidade de suprimir imagens assustadoras e alarmantes relativas ao trauma. Por causa disso, elas retornam sob a forma de *flashbacks*. A pessoa traumatizada revive literalmente a experiência, a despeito de todos os esforços para esquecê-la. Por sorte, só cerca de 25% dos expostos diretamente a um trauma ficam com a síndrome. Embora não haja nenhuma evidência conclusiva de que assistir a cenas traumáticas na televisão pode resultar num distúrbio, a pesquisa preliminar sugere que elas podem realmente ter esse efeito.

Em agosto de 2002, William E. Schlenger e seus colaboradores do Instituto de Pesquisa Triângulo, na Carolina do Norte, publicaram o primeiro estudo pós-11 de setembro sobre sintomas patológicos e estresse pós-traumático em Nova York, em Washington e nos Estados Unidos como um todo. Descobriram uma relação direta entre os casos de angústia pós-traumática e o número de horas que as pessoas passaram assistindo aos atentados e suas conseqüências. Quanto mais via televisão, tanto era mais provável que o indivíduo manifestasse sintomas psicológicos. E essa correlação não levava em conta se a pessoa afetada tinha ou não perdido um amigo ou parente nos ataques.

Ver televisão também mostrou ser a variável crítica entre os diretamente afetados pela tragédia. Segundo um estudo feito entre residentes de Manhattan, realizado por Sandra Galea e seus colaboradores da Academia de Medicina de Nova York, aqueles que sofreram impacto direto dos ataques e assistiram repetidamente a imagens televisionadas de pessoas que caíam ou pulavam das torres tinham seis vezes mais probabilidade de adquirir a síndrome de estresse pós-traumático que pessoas igualmente atingidas que não assistiam TV (22,5% *versus* 3,6%).

Nos meses seguintes à visão de um acontecimento perturbador na televisão, o indivíduo afligido por uma reação aguda de estresse pode ter pesadelos, ansiedade, pensamentos e imagens recorrentes do desastre, sensação de entorpecimento ou desligamento, instabilidade emocional, irritabilidade e reação exagerada a eventos triviais. O risco é alto sobretudo entre pessoas que vivem sozinhas e passam grande parte do tempo livre vendo televisão, em vez de se socializarem. Para elas, a TV apresenta uma realidade que não passa pelo filtro da socialização com os demais, algo que pode servir de força estabilizadora.

PARALISIA EMOCIONAL

Descobriu-se que o cérebro só consegue processar certa quantidade de horror e violência antes que ocorra uma paralisia emocional. Esse processo foi descrito por um executivo de Atlanta entrevistado por um repórter do *New York Times* em 1991 durante as crises de Bangladesh, Etiópia e Moçambique: "Você pode ver imagens muito reais, mas sua cabeça reage a elas quase como se você estivesse apenas vendo um filme".

Ou então considere a resposta de John Fox, especialista em assuntos de Europa Oriental, depois de assistir a vídeos de um ônibus repleto de crianças refugiadas que explodiu com uma bomba durante a guerra na Bósnia: "As imagens simplesmente continuam se repetindo. Elas nunca param, e é isso que desestabiliza as pessoas... Você tem de se encher de coragem só para viver seu dia".

Estou convencido de que a exposição constante a imagens de sofrimento, conflito e violência cria circuitos disfuncionais nas áreas do cérebro responsáveis pela mediação das emoções. O resultado? Várias formas de SEPT, perda da sensibilidade (MEGO, My Eyes Glaze Over — Meus Olhos Ficam Embaçados —, síndrome descrita pelo colunista de jornal Jack Payton), sensação de irrealidade e distanciamento, que levam a pessoa a reagir à tragédia da vida real como se estivesse num filme, e, por fim, várias reações de fuga, desde as fobias até a apatia emocional.

Quando nossas reações emocionais são resultado de imagens de pessoas e eventos muito distantes de nossa realidade, será que isso reduz a capacidade de ter empatia por aqueles próximos de nós que estão passando necessidade? Provavelmente não, desde que tenhamos realmente condições de fazer algo positivo a seu favor. Mas, embora haja muitas oportunidades de prestar auxílio aos outros em situações da vida real, as imagens só permitem uma resposta passiva. Na verdade, assistir às cenas gravadas após a explosão de mulheres e homens-bomba, ou a outro tema que nos toca emocionalmente, pode desconectar nosso desejo e nossa capacidade de responder com interesse e ação. A exposição constante a essas imagens pode levar à passividade diante de episódios que exigem empatia e ação. Além disso, a reciclagem de cenas de violência e desespero está se tornando comum. Num dia, vemos imagens de um quebra-quebra, de um carro explodindo por causa de uma bomba ou cenas de um crime que despertou muita atenção pública; seis meses depois, assistimos à sua recriação televisiva num filme policial ou num *reality show* na televisão.

Embora todos saibamos que as recriações da TV não são "de verdade", nossas respostas emocionais podem ser as mesmas que teríamos na vida real. Separar o fato da ficção torna-se mais difícil ainda quando vemos um programa da TV americana como o *Cops*, em que as caçadas a criminosos e a violência se referem a situações reais apresentadas num formato que é basicamente a combinação de fantasia e realidade. Que estejamos assistindo a uma recriação dramática ou a uma filmagem real de policiais de verdade que prendem criminosos de verdade, o hemisfério direito do cérebro processa as imagens do mesmo modo, e o sistema límbico fornece as respostas emocionais que seriam apropriadas se os eventos estivessem "acontecendo de fato".

WALTER MITTY E OS LOBOS FRONTAIS

Num famoso conto de James Thurber, o personagem principal — Walter Mitty — compensa sua vida tediosa e cinzenta imaginando situações dramáticas nas quais ele é um herói. Em algumas, Mitty derrota fisicamente vilões com atos de agressividade controlada. Mas a violência fantasiada não se limita ao mundo de Walter Mitty. De vez em quando, a maioria de nós imagina-se atacando com fúria uma pessoa desagradável ou irritante.

Há pouco tempo, alguns neurocientistas descobriram que uma imagem obtida por tomografia, gravada quando estamos com devaneios de violência, mostra redução na atividade do córtex órbito-frontal. Essa constatação foi resultado de fascinantes experimentos realizados pelo neurocientista cognitivo Jordan Grafman e seus colaboradores do NINDS.

Num dos estudos de Grafman, alguns voluntários consideraram três respostas à seguinte situação: eles estão num elevador com a mãe e dois homens. De repente, os homens agridem a mãe. Na primeira variante, os voluntários imaginam que não fazem nada. Na segunda, imaginam que estão atacando os homens, mas perdem a batalha e são fisicamente dominados por um deles. Na terceira variante — a versão de Walter Mitty —, imaginam-se golpeando os dois homens e batendo neles com toda a força, com a intenção de "feri-los gravemente ou matá-los".

Foram realizadas imagens por tomografia enquanto os voluntários visualizavam as três hipóteses. Ao fantasiarem as duas situações que envolviam uma resposta agressiva, o cérebro deles mostrou significativa redução do fluxo de sangue no córtex órbito-frontal se comparado à circunstância em que não havia nenhuma reação violenta.

"As expressões anormais de comportamento agressivo em indivíduos violentos fazem-se acompanhar de 'paralisia' funcional do córtex órbito-frontal", afirma Jordan Grafman. Acredita-se que o córtex órbito-frontal — a parte do lobo frontal mais diretamente ligada às amígdalas e ao sistema límbico — desempenhe um papel crucial na integração dos processos motivacionais e emocionais. A agressão é acompanhada de redução da atividade dessa área.

O trabalho de Grafman mostra que, em pessoas normais, a mera ocorrência de pensamentos agressivos é suficiente para alterar o fluxo de sangue e a ativação na parte do cérebro que sabemos controlar os impulsos de raiva. De acordo com Marina Nakic, também do NINDS, "essas descobertas sugerem que o córtex pré-frontal medial dos seres humanos faz a mediação entre a visão de um ato agressivo e a manifestação de comportamentos que esses estímulos podem desencadear".

Isso significa que ser testemunha de uma ação violenta ou apenas imaginá-la reduz a influência moduladora dos lobos pré-frontais sobre o sistema límbico. Todo mundo sabe que não existe um método científico para estudar a incidência de pensamentos agressivos, mas agora os pesquisadores podem estimar que, ao menos em termos de atividade do cérebro, há de fato uma relação entre assistir a imagens violentas, pensar em agir com violência e o comportamento violento subseqüente.

Poucas semanas após minha conversa com Marina Nakic, Jeffrey G. Johnson, da Universidade de Colúmbia, publicou seu estudo relativo aos efeitos de exposição à televisão sobre o comportamento violento. Ao examinar os hábitos televisivos de 707 famílias do norte do estado de Nova York, Johnson descobriu que os adolescentes e adultos jovens que assistiam a mais de sete horas de TV por semana tinham mais probabilidade de cometer um ato agressivo ou violento alguns anos depois.

O trabalho de Johnson, o mais longo do gênero, começou em 1983, quando a idade média dos participantes era de 14 anos. Oito anos mais tarde, em 1991, o pesquisador relacionou as estatísticas referentes ao tempo gasto na frente da televisão com autuações policiais devidas à violência. Entre os que assistiam a até três horas de TV todo dia, 18,4% agiram com violência (atos que resultaram em ferimentos graves, como um osso quebrado). Entre os que ficavam mais de três horas por dia diante da TV, o índice de violência foi de 25,3%.

Em 1999, passados mais oito anos, Johnson entrevistou novamente os participantes de seu experimento e mais uma vez comparou seu índice de comportamento agressivo. Embora 1,2% dos adultos que viam menos de uma hora diária de televisão tenha feito uso de violência, 19,8% daqueles que assistiam a três ou mais horas de TV por dia atacaram alguém com ferocidade suficiente para deixar uma contusão ou uma cicatriz. (Como a propensão à violência em geral diminui à medida que os adolescentes do sexo masculino entram na vida adulta, esperava-se que houvesse uma redução geral de violência entre ambos os grupos do estudo de 1991.)

Repare que o estudo de Johnson não se limitou ao tempo que as pessoas dedicam a assistir a programas *violentos* de TV, mas levou em conta apenas o tempo total que despendiam diante da televisão. Duas premissas são possíveis com base nisso. Primeira: a violência na televisão é tão comum que seria razoável supor que aqueles que a vêem com freqüência são automaticamente expostos a ela. A segunda é que o simples fato de sentar-se em frente ao aparelho, seja qual for a programação naquele momento, favorece a propensão à violência.

Pessoalmente, considero a segunda possibilidade um exagero. A primeira premissa parece bem mais provável. Se uma pessoa vê muito televisão, vai expor-se inevitavelmente à violência, uma vez que mais da metade dos programas mostram imagens de agressão. Por isso, há uma relação evidente entre o tempo gasto na frente da TV e o nível de violência a que se é exposto. Esses dados parecem indicar que assistir a cenas de violência predispõe algumas pessoas a manifestar agressividade.

"Entre jovens que já correm o risco de apresentar conduta truculenta, pode haver uma espiral viciosa na qual a brutalidade da mídia contribui para a manifestação de atitudes e sentimentos agressivos, que os levam a assistir a mais cenas de violência, aumentando assim a probabilidade de desenvolver comportamento hostil", afirma o cientista da Universidade de Colúmbia.

Johnson e seus colaboradores especulam que, mesmo entre jovens não predispostos à violência, as cenas de agressão mostradas na televisão podem dessensibilizar os espectadores e levá-los a supor que o comportamento truculento é aceitável. A solução proposta por eles é clara. "Reduzindo a exposição à violência da mídia, talvez tenhamos condições de evitar que milhões de americanos sejam estuprados e assassinados", disse Johnson a Gina Kolata, repórter do *New York Times.*

A pesquisa de Johnson, combinada com as descobertas relativas à reação do cérebro diante de agressão real ou imaginária, sugere que assistir a cenas de violência diminui os limites para a expressão da agressividade. E a correspondência mostra-se evidente. "A correlação entre mídia violenta e agressão é maior que aquela entre exposição ao chumbo e redução do QI em crianças", afirma Brad Bushman, professor de psicologia da Universidade do Estado de Iowa, em Ames, em um comentário sobre o estudo de Johnson publicado pela revista *Science.* "É maior que o efeito da exposição ao amianto. É maior que o efeito de ser fumante passivo nos índices de câncer."

CÉREBROS IMATUROS PODEM NÃO DISCERNIR ENTRE VIOLÊNCIA REAL E IMAGENS DE VIOLÊNCIA

Mais de mil outros estudos confirmam a conclusão de Johnson de que, expostas a cenas de violência na mídia, as crianças ficam mais agressivas. Inversamente, a agressividade pode diminuir em até 25% com a mera redução da exposição da criança à violência na televisão e no cinema. Essa descoberta de pediatras e psiquiatras, publicada em *Archives of Pediatrics and Adolescent Medicine* [Arquivos de Medicina Pediátrica e da Adolescência], explica-se em parte pela imaturidade do cérebro infantil. Enquanto a maioria dos adultos consegue distinguir as imagens da mídia das reais, a criança pode encontrar maior dificuldade nesse sentido. Seu hemisfério cerebral direito processa a cena perturbadora, mas — em razão da imaturidade do hemisfério esquerdo e da falta de experiência de vida — ela não consegue pôr as imagens em seu contexto.

"Assistir a seqüências de violência na TV pode acarretar três efeitos nas crianças", diz John Murray, professor de psicologia do desenvolvimento da Universidade do Kansas, em Manhattan. "Elas podem ficar insensíveis à dor e ao sofrimento alheios. Podem sentir mais medo do mundo à volta e ter mais probabilidade de se comportar de modo brutal ou prejudicial aos outros."

Calla Perkins, aluna do segundo grau da Public School 89, situada perto do local onde ficava o World Trade Center antes do ataque terrorista, manifestou uma reação agressiva típica. Oito meses após o 11 de setembro, um repórter do *New York Times* descreveu Calla como uma menina que "tinha explosões de raiva" e expressava "fúria de maneira que lamentaria depois". Chutava seu gato e seu cachorro, assim como um cartaz publicitário com imagens das Torres Gêmeas. "Sinto tanta raiva que não sei o que fazer", disse Calla à mãe.

"Deveríamos proteger as crianças da influência da TV", alerta Joanne Cantor, autora de *Mommy, I'm Scared* [Mãe, estou com medo]. "As imagens televisivas são potencialmente muito mais perturbadoras que as do jornal, porque as coisas são apresentadas com toda a clareza e com carga emocional intensa."

Como já disse, os pequenos não conseguem distinguir muito bem entre o que está ocorrendo de fato e algo mostrado num *replay* de vídeo ou numa representação teatral. Para crianças de 5 a 10 anos, os eventos apresentados na TV estão sempre acontecendo *agora*. As crianças menores também se confundem facilmente com as delimitações geográficas e podem equivocar-se em relação ao lugar de ocorrência de um acontecimento e à quantidade de pessoas afetadas.

Veja-se um exemplo: uma menina de 8 anos, filha de uma amiga minha que mora na periferia de Nova York, reagiu à tragédia do 11 de setembro recusando-se a se separar da mãe de manhã na hora de ir para a escola. Implorava à mãe para que não voltasse a seu trabalho, numa grande editora nova-iorquina. Certa manhã, sem saber o que fazer, minha amiga resolveu levar a filha ao emprego. Mais tarde, naquele mesmo dia, a menina observou espontaneamente que, antes de sua ida ao centro da cidade, tinha imaginado que Nova York inteira se reduzira à cratera mostrada na televisão na semana anterior. Aliviada ao constatar que perto do escritório tudo parecia estar como antes, ela parou de manifestar ansiedade pelo fato de a mãe ir trabalhar no centro.

Ao verem cenas de violência na televisão, tanto crianças quanto adultos com sinais de desequilíbrio emocional ou portadores de doenças mentais — sobretudo distúrbios ligados à ansiedade, que afetam mais de 19,9 milhões de americanos — também correm grande risco. Para alguém que já sofre de ansiedade crônica leve, assistir a algo como as conseqüências de um ataque terrorista pode desencadear um surto grave de sintomas incapacitantes.

Quer você goste, quer não da idéia de que as cenas de violência mostradas pela mídia instigam ações agressivas no espectador, a pesquisa neurocientífica é bem clara. Graças ao trabalho de Grafman, Nakic e outros, sabemos que observar cenas de violência — ou mesmo apenas imaginá-las — reduz a atividade funcional das partes do cérebro normalmente responsáveis pela inibição dos impulsos violentos. Embora essa diminuição possa exercer pouca influência nas pessoas para quem a violência será sempre uma forma inaceitável de resolução de conflitos, a redução da atividade pré-frontal pode ter forte impacto em pessoas com lobos frontais anormais.

Aqueles que manifestam personalidade anti-social, distúrbio relacionado com o aumento de atitudes agressivas e violentas, possuem em média 11% menos matéria cinzenta em seu córtex pré-frontal, comparados a pessoas saudáveis. Quando um indivíduo desse tipo assiste a cenas vívidas de violência, ele (os homens são maioria entre as personalidades anti-sociais) já está comprometido em termos de sua capacidade de controlar os impulsos agressivos. Acrescente-se a isso a desativação descoberta por Grafman e Nakic em sua pesquisa, e eis uma combinação potencialmente nefasta de fatores que podem levar a explosões de violência.

O PROCESSO DE NORMALIZAÇÃO DE NOSSAS EMOÇÕES

O lado bom disso tudo é que preservamos um controle bem grande sobre as imagens a que assistimos. Podemos evitar a maioria daquelas que consideramos perturbadoras. Será que isso significa que ficamos insensíveis e emocionalmente indiferentes à dor alheia? Ao contrário. Ao limitar nossa exposição a imagens de situações horríveis, em relação às quais pouco podemos fazer, ficamos mais sensíveis ao sofrimento dos que nos cercam e a quem temos possibilidade de ajudar. Quando as emoções despertadas pela mídia não provocam um curto-circuito em nós nem nos deixam insensíveis, temos condições de atuar em prol dos demais. Só dando os passos necessários para normalizar nossas reações emocionais podemos fazer algo pelos outros. Nosso objetivo é chegar ao equilíbrio entre as redes racionais e emocionais do cérebro.

Assim como não pretendemos basear todas as nossas respostas em considerações puramente racionais e parecer robôs, também não queremos permitir que nossas emoções fiquem tão proeminentes que deixemos de ser funcionais. Podemos ajudar esse processo controlando as imagens a que expomos o cérebro.

Uma coisa parece inquestionável: ninguém jamais afirmou que assistir a material violento leva a uma *redução* dos impulsos agressivos. Como a maioria de nós se deixa afetar por descrições vívidas de assassinato, assalto, espancamento e abuso infantil quando tais desgraças acontecem na vida real, por que permitir que nosso cérebro sofra o assalto das recriações dessas coisas em vídeo?

Na próxima década, esperamos atingir um refinamento maior em nossa compreensão das bases cerebrais da agressividade, assim como uma capacidade maior de prever a violência naqueles predispostos a ela.

Do ponto de vista prático, faz muito sentido evitarmos imagens vívidas de acontecimentos que, segundo o que estamos descobrindo com a pesquisa do cérebro, pode acarretar danos psicológicos. Ao eliminar a violência mostrada pela mídia e assumir o controle das imagens que incorporamos ao cérebro, promovemos a saúde e a felicidade mesmo em condições de estresse e perda.

Capítulo 5

O CÉREBRO DE BEM COM A VIDA

A alegria e a música em você

Nos capítulos anteriores, exploramos as alterações do cérebro associadas a algumas das experiências mais problemáticas da vida, como a distração, o medo, a depressão, a ansiedade, a raiva, o estresse e a violência. Mas o Novo Cérebro também é o mediador de emoções e experiências positivas, como o bom humor e a gargalhada.

Faz tempo que os cientistas sabem que o bom humor exerce efeito positivo sobre nosso funcionamento geral, e talvez até nos ajude a minimizar os estragos causados por certas doenças.

Em seu *best-seller* intitulado *Anatomy of an Illness as Perceived by a Patient* [Anatomia de uma Doença Percebida pelo Paciente], o falecido Norman Cousins usou o bom humor para se recuperar de uma doença misteriosa que estava progredindo rapidamente. Com a aprovação de seu médico, Cousins foi para um hotel, em vez de se internar num hospital, e durante várias horas por dia assistia a filmes antigos dos Irmãos Marx.

"Fiz a bela descoberta de que dez minutos de gargalhadas genuínas tinham efeito anestésico. Além de ser um exercício interno para alguém que está deitado de costas, a gargalhada cria um estado de espírito com o qual é possível trazer à tona outras emoções positivas. Ou seja, a gargalhada permite que coisas boas aconteçam", relata o autor.

Nos 25 anos seguintes à publicação do livro de Cousins, os cientistas confirmaram que o bom humor diminui o estresse, promove as defesas imunológicas, relaxa a tensão muscular, reduz a pressão sanguínea e ameniza a dor. Mas o que exatamente acontece em nosso cérebro quando reagimos a uma piada com uma boa gargalhada?

Em primeiro lugar, temos de prestar atenção à piada e seguir o fio da história até o ponto em que a graça da coisa se torna evidente. Para "entendê-la", temos de decodificar o sentido abstrato e literal das palavras e depois mudar de perspectiva para podermos notar a incongruência que está na base da maioria das piadas. A memória funcional compara a narrativa com a frase de efeito do fim. Para fazer isso, precisamos manter os detalhes da piada *on-line*, isto é, em nossa memória funcional. Mas é necessário algo mais que apenas perceber intelectualmente a incongruência. Na verdade, em geral gente sem senso de humor entende a piada — mas não acha graça.

Uma boa piada também envolve o corpo. Sorrir e rir ativa os músculos do rosto e da garganta e ajuda a produzir o som da gargalhada. Esse som varia em altura e intensidade de uma pessoa para outra e de uma piada para outra. Na verdade, um sorriso que não é acompanhado pelo som da risada significa em geral que, por um motivo ou por outro, o público a que se dirige a piada não está achando graça. É claro que um comediante não permaneceria no palco durante muito tempo se a platéia sentada à frente dele ficasse imóvel e em silêncio. Mas, quando o humorista conta uma piada impagável, o público manifesta-se com gargalhadas, ruídos e movimento.

O CIRCUITO DO PRAZER

Para entender o que acontece no cérebro quando rimos, os neurocientistas recorreram a técnicas de geração de imagens para estudar pessoas lendo piadas, vendo cartuns e ouvindo gargalhadas gravadas. Descobriram o que parece ser um circuito de processamento do humor, que envolve partes do lobo frontal, sobretudo a área motora suplementar (AMS) e o *nucleus accumbens*, um componente do "circuito do prazer".

A AMS, situada ao longo da face interna dos lobos frontais, processa tanto o aspecto cognitivo do humor (entender a piada) quanto a parte motora, como o movimento facial e a respiração (sorrir e rir). Fibras da AMS transferem um programa destinado à risada para as áreas supramotoras e motoras.

Além de aumentarem a atividade motora, as piadas simplesmente possibilitam que nos sintamos bem. Gostamos de ouvi-las, e alguns de nós gostam de contá-las. No instante em que ouvimos ou contamos uma piada, temos uma sensação interna de bem-estar. As coisas não parecem mais tão sérias ou *sem* graça. Essa sensação vem do *nucleus accumbens*, importante estação intermediária que fica no "cérebro emocional" e consiste num circuito de estruturas ligadas entre si. O circuito do humor e da risada também inclui uma parte do hipotálamo chamada córtex cingulado anterior (CCA), o lobo temporal e suas conexões com a amígdala e a junção, dentro do tronco cerebral, de duas estruturas coordenadoras chamadas ponte e medula.

A risada pode ser induzida até por estimulação elétrica do centro profundo do cérebro, o núcleo subtalâmico. A estimulação provoca grandes gargalhadas e hilaridade em pacientes que a estão recebendo naquele lugar como forma de melhorar os sintomas do mal de Parkinson. Pessoas com tumores e distúrbios em outras partes do cérebro às vezes explodem em gargalhadas incontroláveis em circunstâncias que normalmente não despertariam essa reação. Num caso famoso, um menino começou a rir incontrolavelmente durante um funeral. Sua "gargalhada patológica" — o termo neurológico para o problema — foi provocada pelo rompimento de um vaso sangüíneo no terceiro ventrículo do cérebro.

A risada automática também pode ser induzida a partir de áreas corticais mais próximas da superfície do cérebro. Um artigo de 1998 publicado na revista *Nature* descreve uma jovem epiléptica que sorriu e depois gargalhou enquanto recebia estimulação elétrica na AMS.

As pessoas com lesão no lobo frontal (sobretudo no lobo frontal direito) apresentam a reação oposta — é raro rirem espontaneamente; não apreciam o humor, e riem e sorriem menos ao ouvir uma piada. Também não reagem com risos ao ver um desenho animado, uma vez que a lesão no lobo frontal interfere na capacidade de focar a atenção e explorar visualmente o desenho em busca dos detalhes importantes que o tornam engraçado.

Semelhante falta de humor ocorre em pacientes com o mal de Alzheimer. Isso resulta da lesão de áreas do cérebro essenciais para a formação e a manutenção da memória. Um problema qualquer no hipocampo, comum nas vítimas de Alzheimer, interfere no processo de codificar os detalhes de uma piada, enquanto uma anomalia no lobo frontal prejudica a memória funcional necessária para ligar o contexto do começo da piada com a graça do fim.

"A risada tem muitos efeitos sutis sobre as pessoas que partilham a vida social conosco", afirma a bióloga comportamental Silvia H. Cardoso na revista *Cerebrum*. "Quebra o gelo, estabelece intimidade, liga-nos, gera boa vontade e diminui a hostilidade e a agressividade. Rimos quando queremos acabar com a tensão entre estranhos ou quando precisamos dizer não a alguém. A risada desarma as pessoas, cria uma ponte entre elas e facilita o comportamento amistoso."

As cócegas são um exemplo da natureza social da risada. Tente fazer cócegas em si mesmo. Não dá certo, dá? Charles Darwin concluiu que cócegas só despertam o riso se feitas por outra pessoa e quando não se sabe de antemão qual o ponto exato a ser estimulado. Nosso cérebro é tão habilidoso para distinguir sensações iniciadas por nós mesmos das provocadas por outros que rimos até mesmo quando um robô faz as cócegas, mas não rimos se controlamos os movimentos do robô ao nos fazer cócegas.

Aqui temos duas questões sobre o riso de que você talvez queira tomar conhecimento. Será que o cérebro de alguém com muito senso de humor é organizado de forma diferente do da média das pessoas? E, quando fazemos esforços deliberados para cultivar o senso de humor, será que conseguimos melhorar o funcionamento do cérebro? Embora eu suspeite que a resposta a ambas as perguntas seja "sim", por enquanto não temos nenhuma prova disso. Mas, na próxima década, provavelmente disporemos de novas informações sobre os circuitos do cérebro envolvidos no humor e sobre os efeitos benéficos de uma boa risada.

A MÚSICA E O CÉREBRO

Será que a música deve ser considerada apenas um "prazer auditivo", como disse um crítico, um acréscimo bem-vindo mas desnecessário à vida cotidiana, ou serve para finalidades mais importantes?

Seja qual for a resposta, uma coisa é certa: a música exerce efeito evidente e mensurável sobre o cérebro. Em alguns casos, a música pode até desencadear "ataques musicogênicos", crises epilépticas ocorridas durante a audição de uma peça que a pessoa acha inspiradora ou excitante.

Para alguns de nós, a vida seria insuportável sem a música; para outros, ela não parece fazer muita diferença, nem para o bem nem para o mal. Para uma pessoa com *amusia congênita* (surdez quase total para as notas), a música é indistinguível de outros sons. Ao redor de 5% da população sofre dessa síndrome. Em geral, as vítimas apresentam audição e inteligência normais e bom funcionamento neurológico. O líder revolucionário Che Guevara tinha amusia. Quando ia a festas, era obrigado a contar com os amigos para ajudá-lo a distinguir um tango, com seus movimentos lentos e deslizantes e pausas abruptas, de um samba.

Fiquei sabendo de outro caso de amusia por meio de Catherine Reed, psicóloga da Universidade de Denver. Seu paciente, M.G., é um homem instruído de 63 anos que, durante a infância, recebeu longa educação musical. Apesar de sua familiaridade com a música, ele a descreve como um "ruído estruturado" ou "o som de uma porta de carro batendo". Imagens do cérebro de M.G., obtidas por ressonância magnética funcional, revelam dificuldades em distinguir aspectos complexos da música, como a capacidade de perceber várias notas tocadas ao mesmo tempo, harmonia, seqüência de notas e melodias. Por esse motivo, M.G. não consegue reconhecer músicas que ouve desde a infância nem cantá-las. Até em velhas canções como "Parabéns a Você", ele nunca detecta nada de errado mesmo se a música está tão desafinada que a maioria das pessoas sente desconforto. Alguns portadores de amusia (M.G. é uma exceção aqui) também têm dificuldade em identificar a prosódia (entonação e ênfase nas sílabas das palavras) na conversa corriqueira. Por isso, muitas vezes não percebem comentários sarcásticos ou outros significados sutis expressos por tons de voz ou ênfase nas palavras, como quando alguém afirma "Ele é um *gênio*" e sua inflexão de voz comunica a intenção de dizer "uma besta".

Afora os portadores de doenças raras como a amusia, a música oferece estímulos intelectuais para a maioria das pessoas e intensifica emoções fortes — desde a sensação de "calafrios na espinha" até a de unidade com o cosmo. Enquanto estamos ouvindo ou tocando alguns tipos de música, os batimentos cardíacos diminuem e os movimentos musculares também, a ponto de nos deixar quase totalmente imóveis. Mas músicas de outra natureza evocam respostas incrivelmente diferentes no cérebro. A música tocada em tom maior e com ritmo rápido provoca alterações físicas associadas tipicamente à felicidade, como um ligeiro aumento da velocidade da respiração. Um ritmo lento tocado em tom menor provoca mudanças relacionadas à tristeza, como redução das pulsações, pequeno aumento da pressão sanguínea e leve subida de temperatura. Essas respostas derivam da ativação de uma rede cerebral que inclui a amígdala, partes do córtex pré-frontal e outras áreas envolvidas com recompensas, emoções e motivações.

UMA INVENÇÃO EXCLUSIVAMENTE HUMANA

"O peso da evidência mostra que a música é uma invenção exclusivamente humana (...) e está entre as atividades mais complexas, que envolvem percepção, memória, ritmo, organização, atenção e (no caso de profissionais) conhecimentos especializados e coordenação complexa da ação motora", diz Daniel J. Levitan, psicólogo do departamento de teoria musical da Universidade McGill , em Montreal.

Levitan sugere que a música faz nosso cérebro funcionar ao desafiá-lo no sentido de discernir diversas configurações e formas de organização das notas. "Surgem temas recorrentes que se reorganizam e se repetem, que se dobram sobre si mesmos de muitas maneiras interessantes", diz ele, dando como exemplo a *Sonata ao Luar,* de Beethoven, que "emociona porque, toda vez que a ouvimos, apreciamos uma versão ligeiramente diferente, dependendo do artista, de nosso estado de espírito, das pessoas que estão conosco. As notas da composição formam um primeiro plano, os espaços entre elas, um pano de fundo, e nosso cérebro trabalha ativamente para fazer ligações entre elas, agrupá-las em frases e prever o que virá em seguida. O cérebro sempre vigilante fica excitado quando nos deparamos até com violações sutis de nossas expectativas".

Ferramentas da neurociência estão sendo empregadas por Levitan e outros para descobrir o que acontece no cérebro de gente sofisticada em termos musicais, e que diferenças existem entre os que conhecem música e aqueles que são a ela indiferentes.

Em geral, as pessoas requintadas em matéria de música têm mais probabilidade de percebê-la de forma analítica e, por isso, contam muito mais com seu hemisfério cerebral dominante (em geral, o esquerdo). Isto é, se você aprendeu a tocar um instrumento ou estudou música a ponto de conseguir distinguir as diferenças sutis entre as várias execuções, é mais provável que lance mão da análise e da comparação — funções do hemisfério esquerdo. Mas, se você recebeu pouca educação musical formal, não vai apelar muito para a análise. Apenas prefere alguns tipos de música a outros e não pensa muito conscientemente sobre as razões de sua predileção — uma resposta em que predomina o hemisfério direito. Mas não se trata de uma divisão rígida. Não é possível ter regras inflexíveis e inalteráveis, uma vez que diversos fatores variam muito de pessoa para pessoa em termos de interesse, talento e capacidade musical. O simples fato de ouvir um instrumento pode alterar o equilíbrio do funcionamento dos hemisférios cerebrais, fazendo com que a maior atividade do lado direito passe para o esquerdo.

Como exemplo da maneira pela qual a educação influencia os circuitos cerebrais e intensifica as emoções, considere o córtex auditivo, situado um pouquinho acima das orelhas. Operacionalmente, o córtex auditivo ocupa um lugar privilegiado, a meio caminho entre os lobos frontais — bem atrás da testa — e a residência dos componentes do sistema límbico, mais profundamente incrustada no cérebro. Graças às conexões de mão dupla entre o córtex auditivo e o lobo frontal, podemos apreciar, comparar e julgar intelectualmente a execução de uma peça musical. E, por causa das conexões de mão dupla entre o córtex auditivo e o sistema límbico, torna-se possível responder à ressonância emocional que acompanha todas as grandes composições. Não é de surpreender que o córtex auditivo seja maior nos músicos que nas demais pessoas.

Outras áreas cerebrais maiores em músicos adultos são o córtex motor primário e o cerebelo (ambos importantes tanto para o movimento como para a coordenação); o corpo caloso (o grosso feixe de fibras que une os hemisférios esquerdo e direito); e uma região na superfície do lobo temporal chamada de *planum temporale*.

O aumento do *planum temporale* aparece tanto em músicos quanto naqueles que contam com ouvido absoluto, segundo as descobertas de Takashi Ohnishi, do Centro Nacional de Neurologia e Psiquiatria de

Tóquio. Ohnishi acredita que o *planum temporale* maior permite que os artistas ouçam música de forma diferente. Em vez de apenas ouvi-la, eles a analisam.

Com exceção do *planum temporale*, a musicalidade reside sobretudo no lado direito do cérebro. Sabemos disso graças a testes realizados em pacientes com um ou o outro dos lobos temporais removido cirurgicamente. A eliminação do lobo direito resultou em dificuldade para reconhecer alterações de tom (o conjunto de alturas correspondentes às notas da melodia) e intensidade (a subida e a descida das notas que constituem a melodia).

Os pesquisadores também observaram alterações funcionais. Num estudo feito na Universidade de Tübingen, na Alemanha, obtiveram-se imagens (por ressonância magnética funcional) do cérebro de músicos profissionais e amadores enquanto executavam o dedilhado usado nos dezesseis primeiros compassos do *Concerto para Violino em Sol Maior,* de Mozart. Embora muito tocado por violinistas profissionais, esse trecho foi escolhido porque é fácil e instrumentistas amadores conseguem tocá-lo.

"Notamos que a atividade por parte do córtex motor (primário), responsável pelo controle dos movimentos dos dedos, era muito mais econômica e concentrada no cérebro dos músicos profissionais", diz Gabriela Scheler, que dirigiu o estudo. "Essa redução da atividade geral sugere que os instrumentistas profissionais estão usando o cérebro de maneira mais eficiente, provavelmente porque ensaiaram o concerto tantas vezes que tocá-lo passou a ser automático."

No entanto, nas áreas auditiva e pré-frontal do cérebro, os profissionais mostraram atividade *maior* em comparação com os amadores. "Quando os profissionais movimentam os dedos, também estão ouvindo a música dentro da cabeça, e é por isso que a região auditiva fica mais ativa. É possível que isso melhore a execução de uma peça", conclui Scheler. A maior atividade pré-frontal encontrada nos profissionais pode estar correlacionada com a memória funcional, responsável pela codificação e integração dos movimentos dos dedos, criadas durante execuções anteriores.

O interessante é que essa tendência de os músicos profissionais terem menos atividade motora e mais atividade auditiva e pré-frontal também se manifesta quando se pede aos músicos que apenas imaginem estar tocando o concerto, sem movimentar os dedos.

ANOS DE ENSAIOS E EXECUÇÃO DE PEÇAS

Será que o cérebro de bons músicos fica diferente por causa dos anos de intenso treino, ou essas diferenças já existiam antes de eles se dedicarem à música? Em outras palavras: será que o cérebro de pessoas destinadas a ter talento musical funciona de maneira especial desde o início?

"Se o treino musical afeta o desenvolvimento do cérebro, seria de se esperar que as respostas cerebrais evocadas pelos estímulos musicais em pessoas extremamente habilidosas fossem diferentes das respostas das demais", diz Larry Roberts, do departamento de psicologia da Universidade McMaster, em Hamilton, Ontário.

Para verificar essa hipótese, Roberts e seus colaboradores realizaram um experimento de duas partes. Na primeira, fizeram eletroencefalogramas (medida da atividade das ondas cerebrais) de violinistas extremamente hábeis da Orquestra do Centro Nacional de Artes do Canadá e compararam os resultados com os de um conjunto de pessoas sem formação musical. Durante a realização dos EEG, ambos os grupos ouviram notas de violino, notas de piano e sons puros não-musicais da mesma altura das notas. O pesquisador descobriu que as notas musicais ativaram mais neurônios no córtex auditivo dos músicos que no das outras pessoas. "Mas nosso estudo de comparação de músicos e não-músicos ainda não nos permitiu concluir se os atributos cerebrais detectados nos músicos são criados pelo treino recebido", afirmou Roberts.

Para encontrar a resposta a essa questão, o cientista treinou os não-músicos para que detectassem variações mínimas de altura. Depois de apenas três semanas, o cérebro dessas pessoas também mostrou aumento de atividade no córtex auditivo. Isso sugere que as alterações cerebrais observadas nos músicos habilidosos não são herdadas: resultam de muitos anos de ensaios e execução de peças.

Como revela a pesquisa de Roberts, às vezes as modificações cerebrais podem tomar rumos inusitados ou criar circuitos inesperados: pessoas que não conhecem música só precisam de um mínimo de treino para seu cérebro começar a responder da forma característica dos instrumentistas profissionais.

No futuro próximo, possivelmente vamos conseguir fazer estudos para ter acesso ao talento musical por meio de obtenção de imagens do cérebro. Um exemplo: um estudo inicial realizado na infância poderia servir de parâmetro para comparação posterior, quando o artista tivesse atingido a maturidade musical. Se existirem, essas mensurações tecnológicas vão introduzir novas unidades entre a arte e a pesquisa do cérebro. Mas, em vez de oferecer uma explicação do talento musical, os estudos com imagens servirão de base para medi-lo. Sejam quais forem os avanços tecnológicos do futuro, tenho certeza de que a neurociência nunca será capaz de dar uma explanação completa de nossa admiração e prazer ao ouvir o *Concerto n⁰. 9 para Piano* de Mozart.

A neurociência também não vai conseguir explicar o processo de criatividade musical. Embora haja muitas razões para isso, uma delas se destaca particularmente. A música e o cérebro envolvem ordens diferentes de discurso. Mesmo sendo verdade que não seríamos capazes de admirar e executar peças musicais sem as contribuições de áreas especializadas do cérebro, não temos esperanças de compreender os sete atributos ou "dimensões" da música (altura, intensidade, duração, ritmo, melodia, timbre e harmonia) em termos de correntes elétricas que passam pelas membranas celulares ou da liberação dos neurotransmissores nas sinapses.

Em vez de *explanações* neurológicas da música, vamos ter condições de estabelecer *correlações* importantes. Pense em como será empolgante quando a neurociência nos mostrar em detalhes alguns dos processos que ocorrem no cérebro quando tocamos um instrumento musical ou ouvimos um mestre desse mesmo instrumento atingir um nível de execução com o qual só podemos sonhar.

Capítulo 6

TÉCNICAS MODERNAS DE CRIAÇÃO DE IMAGENS

Janelas para o cérebro

Será que um dia a pesquisa cerebral fornecerá mensurações confiáveis de atitudes inconscientes que vêm das profundezas e conflitam com a visão consciente que uma pessoa tem de si mesma? Será que os neurocientistas vão criar uma técnica segura para detectar mentiras? Essas são duas das questões práticas que os neurocientistas pretendem resolver, o que provavelmente se tornará possível com os avanços tecnológicos.

As tentativas de criar uma tecnologia para detectar mentiras remontam à década de 1920, com a invenção do polígrafo. Esse aparelho mede as manifestações fisiológicas do ato de mentir, como mudanças nos batimentos cardíacos e na respiração e a resposta galvânica da pele, ou alterações da resistência elétrica da pele. Embora às vezes ajude, o polígrafo apresenta dois problemas principais. O primeiro é que mede modificações na corrente descendente do cérebro, no sistema nervoso periférico, e não no cérebro propriamente dito. Em segundo lugar, algumas pessoas conseguem controlar suas reações autônomas e, por isso, passam no teste com freqüência, mesmo quando estão mentindo. Por esses motivos, faz tempo que os neurocientistas procuram uma forma de medir diretamente a função cerebral associada ao ato de mentir.

Um método inventado pelo psiquiatra Daniel Langleben, da Universidade da Pensilvânia, Filadélfia, faz uso da ressonância magnética funcional. Como todos os procedimentos para detectar mentiras, esse se baseia no que os psicólogos chamam de "teste de consciência da culpa". Em resumo, uma pessoa só pode mentir quando sabe a resposta certa, mas prefere fazer de conta que não sabe. "Você tem de conhecer a verdade para poder enganar", afirma Langleben. Como disse Santo Agostinho séculos atrás, "enganar é negar a verdade".

Nos experimentos do psiquiatra, seus voluntários tomavam conhecimento de certas informações (um cartão para o qual olhavam rapidamente e em seguida punham no bolso, por exemplo). Depois, no interior de um aparelho de ressonância magnética, essas pessoas olhavam com atenção uma série de cartões, inclusive uma réplica daquele que estava no bolso. Quando interrogadas, negavam ter visto antes qualquer dos cartões e procuravam controlar a voz e o comportamento para que nada as denunciasse. Mas a ressonância magnética funcional detectava a mentira. Quando o voluntário observava o cartão idêntico àquele que guardara no bolso, as imagens mostravam aumento do fluxo sanguíneo (uma indicação de aumento da atividade) no córtex cingulado anterior, o CCA.

De acordo com Langleben, "o fato de a mentira ativar o córtex cingulado anterior faz sentido, pois sabemos que essa área do cérebro desempenha importante papel na monitoração do erro e na inibição das respostas". O CCA da pessoa que está mentindo ajuda a inibir a reação natural de dizer a verdade. Esse processo requer energia, daí o desvio de sangue e oxigênio para aquela parte do cérebro.

AS IMPRESSÕES DIGITAIS DO CÉREBRO

Embora a pesquisa do córtex cingulado anterior dependa do aparecimento de um fluxo de sangue, com oxigênio consumido pelo cérebro, mostrado pelos desenhos coloridos da ressonância magnética funcional, outro método, conhecido informalmente como impressão digital do cérebro, funciona ao detectar alterações da atividade elétrica, que varia em razão de algo ser reconhecido ou não como familiar. Se mostrarem a você um retrato da fachada de sua casa ou de seu prédio, a identificação instantânea dessa visão costumeira desencadeará uma reação elétrica no cérebro diferente da sua resposta a uma imagem desconhecida.

Em 1993, o inventor da impressão digital do cérebro, Lawrence A. Farwell, testou seu método na Academia do FBI em Quantico, Virgínia. Seu objetivo era distinguir onze investigadores da agência de quatro impostores por meio da medição de reações cerebrais a indícios conhecidos apenas por agentes já experientes.

Todos os participantes do experimento usaram na cabeça uma faixa equipada com sensores especiais. Sentada diante de um computador, a pessoa observava uma série de palavras e imagens que eram "os alvos" — coisas que seriam de se esperar que qualquer um reconhecesse, como as primeiras linhas do Pai-Nosso ou a imagem da bandeira americana. Por outro lado, "as sondas" eram acrônimos específicos ou termos conhecidos apenas pelos agentes do FBI. A terceira categoria de estímulos — "irrelevantes" — provavelmente não seria reconhecida por ninguém. Para tornar o teste ainda mais difícil, os investigadores foram instruídos no sentido de fazer todo o possível para esconder de Farwell que tinham alguma ligação com o FBI. A observação da atividade elétrica do cérebro dessas pessoas permitiu que Farwell distinguisse corretamente entre os agentes verdadeiros e os impostores.

O princípio por trás da impressão digital do cérebro é surpreendentemente simples. Os centros de memória respondem à visão de algo familiar com uma alteração distinta da atividade elétrica. Mas isso não constitui novidade. Faz mais de trinta anos que os neurocientistas sabem da existência dessas ondas cerebrais de duração extremamente curta. Farwell batizou todas essas modificações da atividade elétrica de REMAMC, um acrônimo da frase correspondente a "reação eletroencefalográfica multifacetada associada à memória e à codificação".

Talvez a melhor aplicação da impressão digital do cérebro seja nas investigações criminais. Quando uma pessoa comete um crime, seu cérebro grava os detalhes do acontecido e os guarda na memória. Esse processo não requer intenção consciente ou vontade deliberada — na verdade, o criminoso vai fazer o possível para não se lembrar de seu ato, para que os detalhes não lhe preguem uma peça durante o interrogatório. Mas, independentemente de todas as vezes em que negar a autoria do crime, na época em que o cometeu seu cérebro fez o equivalente a uma gravação em áudio e vídeo e a reteve na memória. Além disso, essa memória persiste por vários anos.

Pense no caso de James B. Grinder, um lenhador suspeito de assassinar Julie Helton, uma moça de 25 anos do Missouri que trabalhava numa editora, em 1984. Em 5 de agosto de 1998, Farwell testou o cérebro de Grinder em busca dos detalhes sobre o assassinato ocorrido catorze anos antes. Seis dias após a exibição dos pormenores da cena do crime a Grinder e os testes da impressão digital do cérebro revelarem seu conhecimento do fato, ele foi condenado por homicídio qualificado. Recebeu sentença de prisão perpétua, sem possibilidade de liberdade condicional.

"Seu cérebro revelou que ele era culpado da morte de Julie Helton", disse Farwell na ocasião. "Grinder tinha informações importantes e detalhadas que só o assassino poderia ter. O crime ficou registrado em seu cérebro e permaneceu gravado lá todo o tempo desde o homicídio."

Assim como as evidências fornecidas pelo polígrafo, "as impressões cerebrais" não são aceitas como prova nos tribunais. Algumas das objeções a elas envolvem discordâncias sobre a maneira de preparar e apresentar as perguntas e imagens. Em alguns episódios com ampla divulgação, a cobertura feita pela televisão e pelos jornais pode resultar em uma pessoa inocente saber muita coisa sobre detalhes específicos de um crime. O mais importante é a necessidade de realizar mais pesquisas para que se possa dizer com certeza que um culpado não vai ludibriar a tecnologia. Apesar do futuro incerto da impressão digital do cérebro quanto a determinar a culpa em questões criminais, as tecnologias de estudo cerebral não se limitam a avaliar a honestidade de uma pessoa.

LEITURA DE PENSAMENTOS

Ao menos de vez em quando, a maioria de nós age de modo ilógico e irracional. Mesmo sabendo o que temos de fazer, fazemos exatamente o contrário. Será que a pesquisa do cérebro tem condições de nos ajudar nesse aspecto? Sim, de acordo com os psicólogos William Gehring e Adrian Willoughby, da Universidade de Michigan em Ann Arbor. Em um estudo experimental publicado pela revista *Science*, voluntários usaram gorro equipado com eletrodos que gravaram seu potencial cerebral relacionado a um evento, ou PCRE. Os PCREs, como as REMAMCs, são alterações da atividade elétrica do cérebro em resposta a determinado estímulo.

Gehring e Willoughby mediram o PCRE de seus voluntários enquanto estavam fazendo apostas numa tela de micro. Lá apareciam duas caixas — uma representava uma aposta de 5 centavos de dólar e a outra, uma aposta de 25 centavos de dólar. Depois que as pessoas faziam sua escolha, as caixas mudavam de cor. Se a caixa selecionada pelo jogador se tornasse verde, a quantia contida nela era acrescentada aos seus ganhos; se ficasse vermelha, subtraía-se o valor de seus ganhos. Passados alguns segundos, assim que a tela reconfigurasse as caixas, fazia-se nova escolha.

As ondas cerebrais dos voluntários — quer perdessem, quer ganhassem — mostravam atividade maior (indicada por queda no desenho da onda cerebral) no córtex frontal medial. Mas essa negatividade frontal medial (NFM) mostrava sua maior queda depois das perdas, reação que ocorria a cada 200 ou 300 milésimos de segundo (mais ou menos um quarto de segundo) após o jogador ficar sabendo do resultado de uma aposta. Durante uma série de perdas, a NFM caía ainda mais após cada perda subseqüente.

Os responsáveis pelo estudo sugerem que essa atividade maior da NFM corresponde à célebre falácia do jogador: perdas consecutivas significariam que ele está "prestes" a ganhar, o que o leva a aumentar verticalmente a quantidade de dinheiro apostada. Em outras palavras, há correlação entre a tendência do jogador de apostar mais depois de uma seqüência de perdas e a intensidade da queda que ocorre na medida de sua NFM.

"As perdas parecem maiores que os ganhos", afirmam Gehring e Willoughby. "A aversão por uma perda de certa magnitude é maior que a atração por um ganho da mesma dimensão. Depois de uma perda, o cérebro acha que está prestes a ganhar. Por isso, quando tomamos uma decisão rápida que se mostra equivocada, tendemos a assumir risco maior ainda da próxima vez do que assumiríamos se nossa primeira escolha tivesse sido correta, e podemos avaliar o resultado dessas decisões antes de pensar conscientemente no que estamos fazendo."

Freud discorreu sobre o processamento mental inconsciente que às vezes leva a decisões tomadas sem o concurso da deliberação consciente. Mas ele associou suas observações a teorias controvertidas e questionáveis sobre a importância da agressividade e da sexualidade inconscientes. Agora a neurociência está revelando que as decisões inconscientes, como a falácia do jogador, resultam de um rápido cálculo de cerca de um quarto de segundo. Além disso, essas decisões, geralmente impulsivas sobre o andamento das coisas, tomadas em frações de segundo, estão ligadas a um tipo de atividade distinto (NFM) realizado pelo CCA.

O estudo da NFM é o primeiro passo para compreendermos a subjetividade humana numa base neurocientífica. As próximas etapas vão depender da criação de experimentos que combinem observações comportamentais com registros de eventos elétricos do cérebro. Como no estudo de Gehring e Willoughby, podemos descobrir que os eventos elétricos acontecem em frações de segundo — rápido demais para qualquer coisa que se aproxime de uma deliberação consciente.

Imagine uma série de imagens de rostos humanos que passam rapidamente diante de seus olhos. Enquanto você olha para algumas delas, uma violenta explosão de ruídos desagradáveis faz um pano de fundo. Não é de surpreender que o cérebro reaja ao barulho com um pouco de medo. Mas, depois de algum tempo, ele fica condicionado e reage automaticamente com medo quando certos rostos são apresentados: os que apareceram junto com os ruídos desagradáveis.

Suponha, porém, que as imagens sejam mostradas tão depressa que você não as percebe conscientemente. Isso não deveria eliminar aquela resposta de medo moderado? Na verdade, embora algumas partes do cérebro reajam menos, ou não reajam, a resposta das amígdalas será a mesma, quer você tenha ou não percepção consciente das imagens. É como se o processo de condicionamento deixasse as amígdalas com sensibilidade maior.

Os sobreviventes de eventos horríveis como os ataques do 11 de setembro evocam uma resposta semelhante. "Quando se obtêm imagens das amígdalas deles, descobre-se que mostram graus muito maiores de atividade do que se encontraria numa pessoa comum", diz Rashid Shaikh, da Academia de Ciências de Nova York.

Em resumo, a obtenção de neuroimagens funcionais está nos proporcionando novas formas de entender como as emoções são programadas no cérebro. Graças à ressonância magnética e a outras técnicas, as redes de células nervosas responsáveis pelas emoções estão sendo mapeadas, sobretudo no circuito das amígdalas e do córtex cingulado anterior. Essas imagens criadas pelos pensamentos e pelas emoções têm implicações práticas para a maneira pela qual tomamos decisões na vida cotidiana.

"As partes emocionais e racionais do cérebro podem estar mais intimamente interligadas do que se pensava até agora", afirma Dean Shibata, professor adjunto de radiologia na Universidade de Washington, em Seattle. Em sua pesquisa, Shibata escaneou o cérebro de vários indivíduos em processo de tomada de decisão. Descobriu que o fato de as decisões envolverem ou não opções que afetam a saúde e o bem-estar faz muita diferença no cérebro — decisões como: "Será que devo usar o cinto de segurança?" ou "Será que devo marcar consulta com o médico?".

"Nossa pesquisa com imagens do cérebro confirma a hipótese de que, toda vez que toma decisões em sua vida pessoal, você precisa 'sentir' o resultado emocional projetado de cada uma delas — subconsciente ou intuitivamente", diz Shibata. "Esse sentimento nos orienta e nos dá a motivação necessária para fazer a melhor escolha possível, muitas vezes em uma fração de segundo."

O professor Shibata acha que tomar decisões que afetam você pessoalmente aumenta a atividade numa parte dos lobos frontais (o ventromedial). Em geral, não ativamos essa área ao pensar sobre eventos que não nos envolvem diretamente. "Quando as pessoas tomam decisões que afetam sua vida, utilizam regiões emocionais do cérebro, mesmo que a tarefa em si não pareça emocional", afirma Shibata.

CONHECE A TI MESMO

Os filósofos se referem ao autoconhecimento como o objetivo mais importante na vida. "Conhece a ti mesmo", pregava Sócrates. Quando temos de tomar decisões importantes, queremos nos manter "razoáveis" e "racionais". Dizemos que não desejamos que as emoções interfiram em nosso julgamento. Mas manter a capacidade de raciocínio sem nenhuma contaminação de nossas emoções não é tão fácil quanto fomos levados a acreditar. Muitas vezes, a influência das emoções sobre o raciocínio impede o autoconhecimento — em dilemas morais, por exemplo.

Imagine-se diante do seguinte dilema: um vagão desce desgovernado em direção a cinco pessoas, e elas vão morrer a menos que você encontre uma forma de mudar seu trajeto. Você pode optar por fazê-lo entrar num desvio que o levará para outra linha onde um trabalhador está realizando reparos. Embora o vagão vá matar aquele homem, as cinco pessoas serão salvas. O que fazer? Com relutância, a maioria das pessoas vai desviar o vagão e salvar as cinco vidas ao preço de uma.

Agora pense numa variação do dilema. Você está em pé numa ponte exclusiva para pedestres observando os trilhos num ponto qualquer entre o vagão e as cinco pessoas. Ao seu lado há um desconhecido — um indivíduo corpulento, talvez levemente embriagado — que poderia ser um meio conveniente de parar ou pelo menos diminuir a velocidade do vagão se você o empurrasse da ponte para os trilhos lá embaixo. Você estaria disposto a dar o empurrão fatal para salvar a vida das outras cinco pessoas?

Apesar de serem situações drasticamente diferentes, a conta é a mesma em ambas: uma pessoa morta para salvar outras cinco. Mas, embora os números sejam iguais, a maioria das pessoas não conseguiria dar deliberadamente o empurrão fatal no desconhecido, mesmo que muitas estivessem dispostas, ainda que com certa relutância, a fazer o vagão entrar no desvio, condenando o trabalhador. O que está acontecendo?

Os estudiosos da filosofia debateram durante séculos sobre esses dilemas morais. A razão não ajuda muito nessa questão, pois, como já disse, a situação é a mesma. Portanto, os filósofos estão diante de um dilema. Se a razão não oferece solução, qual a melhor forma de resolvê-lo?

Talvez ajude se mudarmos o foco de nossa atenção para os componentes emocionais. A maioria de nós simplesmente não consegue se imaginar, em nenhuma circunstância, empurrando alguém para a morte certa no caminho de um vagão em alta velocidade. Por quê? Porque, lá no fundo, *sentimos* que um ato desses é moral e fundamentalmente diferente de apenas girar uma chave que faça o vagão se desviar. Em síntese, nossa preferência por acionar uma chave a empurrar uma pessoa reside mais em fatores emocionais do que nos estritamente racionais. Mas como provar a verdade dessa intuição?

Num experimento dirigido por Joshua Greene, do Centro de Estudos sobre Cérebro, Mente e Comportamento, da Universidade de Princeton, alguns indivíduos imaginaram a situação de "empurrar a pessoa" enquanto se submetiam a uma ressonância magnética funcional. As imagens mostraram a ativação das áreas do cérebro associadas à emoção. Sabemos que tais regiões — o giro frontal medial, o giro cingulado posterior e o giro angular — são ativadas em estados de tristeza, terror ou desconforto em geral. Mas essas áreas não se ativaram pela situação de "empurrar uma pessoa para a morte".

"A diferença crucial entre o dilema do vagão e o da ponte reside na tendência deste último despertar emoções de uma forma que o primeiro não faz", dizem os pesquisadores, que publicaram seu estudo na revista *Science*. "A idéia de empurrar alguém para a morte tem, a nosso ver, carga emocional maior que a de apertar um botão para fazer o vagão produzir conseqüência semelhante, e é essa reação emocional que explica a tendência das pessoas de tratar esses casos de maneira diferente (...) e essas diferenças do envolvimento emocional afetam o julgamento das pessoas."

Avanços na neurociência vão nos permitir realizar experiências semelhantes para esclarecer o papel das emoções em alguns dilemas éticos e morais com que nos deparamos em nossa vida. Na verdade, pode ser que não haja necessidade de dilemas. Só o conflito já torna uma variável crucial.

VIGILÂNCIA DINÂMICA

Com a tecnologia de obtenção de imagens do funcionamento do cérebro, os neurocientistas localizaram recentemente a parte ativada pelo conflito — o córtex cingulado anterior —, que fica entre a frente e o meio dos hemisférios cerebrais e diretamente acima do corpo caloso. Conforme um dos primeiros estudiosos dessa região, o CCA é "a sede da vigilância dinâmica por meio da qual as experiências ambientais são dotadas de consciência emocional". Essa vigilância dinâmica se perde se houver lesão no CCA.

Uma pessoa com lesão no córtex cingulado anterior muitas vezes pára de falar, perde todo movimento espontâneo e demonstra pouca emoção, parecendo letárgica e apática. À medida que o processo de cura avança, essas alterações da personalidade desaparecem e a pessoa fica *quase* normal outra vez. Digo "quase" normal porque, embora a linguagem verbal, a memória e as funções intelectuais melhorem fortemente, amigos e familiares continuam notando problemas na atenção e na motivação. A menos que seja incentivado, o indivíduo com lesão no CCA tende a se manter passivo, só fala quando se dirigem a ele e perde o fio da meada de uma conversa quando se distrai. Em resumo, essa região cerebral desempenha papel fundamental na atenção, na excitação geral e nas respostas intencionais a eventos e pessoas.

Como o córtex cingulado anterior se comunica com o córtex pré-frontal, e também com as amígdalas e outros centros emocionais, serve de local de convergência da fria racionalidade e das emoções calorosas.

"Essa sobreposição dá ao CCA o potencial de traduzir intenções em atos", diz o neurocientista Tom Paus, do Departamento de Neurologia da Universidade McGill, em Montreal. Essa tradução é maximizada em condições de conflito — quando as emoções nos levam a um curso de ação, ao passo que o raciocínio sugere outro. Os neurocientistas sabem disso graças aos estudos com tomografia e ressonância magnética funcional que mostram o CCA entrando em ação em situações que exigem que os atos impulsivos sejam reprimidos.

Aqui está um exemplo: no que hoje é conhecido como teste Stroop, tintas de cores diferentes são empregadas para descrevê-las, como a palavra "verde" impressa em tinta vermelha. Pede-se a alguém que leia em voz alta o nome da cor ao mesmo tempo que ignore a palavra (no caso citado, a resposta certa seria vermelho). Como em geral a leitura envolve atenção às palavras e não à cor da tinta usada para imprimi-las, os participantes entram em conflito e sofrem uma sensação de tensão. Segundo os resultados da ressonância magnética funcional, o CCA é ativado durante o teste Stroop, e a maior ativação se dá quando a pessoa tem de responder depressa.

Pense no córtex cingulado anterior como o mediador entre o córtex pré-frontal, que dá ordens ("Concentre-se na cor da palavra e ignore seu significado"), e as respostas automáticas criadas ao longo dos anos ("Preste atenção ao significado das palavras, e não à cor utilizada na impressão").

O CCA também ajuda a manter nossos objetivos em mente durante situações difíceis. Sabemos disso graças a um fascinante estudo realizado por uma equipe de neurocientistas no Japão. Eles registraram o funcionamento de células nervosas individuais do córtex cingulado anterior de macacos enquanto faziam uma série de testes de discriminação de cores. Os animais recebiam pistas que logo aprendiam a reconhecer como precursoras de uma recompensa iminente na forma de comida. À medida que as pistas iam sendo dadas, eles cometiam cada vez menos erros na discriminação das cores. Um aumento da ativação das células do CCA acompanhou esse aperfeiçoamento de desempenho. Era como se os macacos sentissem que estavam chegando mais perto de receber a recompensa e, por isso, redobravam os esforços. Será que isso poderia ser o equivalente ao controle deliberado dos seres humanos?

Os neurocientistas descobriram que os neurônios do córtex cingulado anterior são ativados de forma anormal nos seres humanos em função de um grande número de problemas de motivação e recompensa, como o Transtorno Obsessivo-Compulsivo (TOC) e o vício em drogas. Estudos com neuroimagens de viciados, por exemplo, mostram menos atividade e menor densidade celular no CCA e estruturas associadas a ele. "É possível, portanto, que os viciados, como outros que sofrem de hipoatividade nessas regiões do cérebro, sejam incapazes de ter respostas afetivas (emocionais) normais diante de eventos futuros ou de exercer um controle deliberado", diz Laura L. People, psicóloga da Universidade da Pensilvânia.

AS AMÍGDALAS, O CÓRTEX CINGULADO ANTERIOR E O LIVRE-ARBÍTRIO

Graças aos esforços pioneiros de pesquisadores como Dean Shibata, William Gehring, Adrian Willoughby e Laura People, agora estamos chegando ao ponto em que as imagens do cérebro em funcionamento podem servir de janela para nossos pensamentos mais íntimos. Em alguns casos, serão revelados aspectos de nosso pensamento que estão ocultos para nós mesmos.

Num famoso estudo conduzido por Elizabeth Phelps e seus colaboradores da Universidade de Nova York, alguns voluntários observaram retratos de afro-americanos e caucasianos. Antes do teste, eles (todos caucasianos) passaram por rigoroso interrogatório cujo objetivo era eliminar participantes com claras tendências preconceituosas em relação aos negros. Apesar disso, quando alguns observaram os retratos dos afro-americanos, suas amígdalas foram intensamente ativadas — um indício de que estavam sentindo medo ou ansiedade.

Depois, essas pessoas que mostraram ativação das amígdalas fizeram testes psicológicos padronizados com o intuito de detectar racismo. Eles revelaram que alguns dos voluntários que negaram tendências racistas estavam suprimindo ativamente os sentimentos preconceituosos. Eram exatamente os mesmos indivíduos que antes tinham mostrado a maior ativação das amígdalas.

Em resumo, as formas de ativação do cérebro em determinada área — as amígdalas — revelaram atitudes profundamente ocultas a respeito de raça. Enquanto alguns afirmavam uma coisa, seu cérebro dizia o oposto. É fácil imaginar uma situação nem tão futurista assim na qual pessoas dadas a ocultar a verdade serão desmascaradas pela evidência apresentada pelo próprio cérebro.

No futuro próximo, os neurocientistas vão ser capazes de fornecer "retratos" da atividade do cérebro para descobrir se alguém está ou não dizendo a verdade, se afirmações e atitudes deliberadas se mostram de acordo com crenças profundas, e até mesmo inconscientes, e se as emoções estão desempenhando papel dominante na tomada de certa decisão.

É comum indivíduos com lesão no córtex cingulado anterior tomarem decisões impulsivas e irrefletidas. Na falta de informações do CCA, o cérebro não consegue dar um desconto para as emoções que normalmente acompanham escolhas de comportamento. Assim, esse paciente pode reagir com raiva e violência impulsiva a eventos que uma pessoa normal conseguiria ignorar. É por isso que portadores de lesão no córtex cingulado anterior não sentem a ansiedade e a apreensão que acompanham o comportamento agressivo na maioria das pessoas. Será que alguém assim é culpado de um crime se agir por impulso e ferir outro por causa de um problema no CCA?

Com essa questão, entramos num terreno nebuloso. Será que nossos atos são escolhidos livremente ou dependem de forças fora de nosso controle? Subjetivamente, é claro que nos sentimos livres. Podemos mudar de idéia a respeito de uma questão e depois mudá-la outra vez. Podemos até fazer o curioso exercício sugerido certa vez por Carl Jung como antídoto para a indecisão: basear a escolha no método da cara e coroa. Mesmo nesse caso, continuamos com a liberdade de ignorar o resultado do lançamento da moeda e tomar a decisão com base tão-somente no impulso.

Portanto, se temos livre-arbítrio, será que ele reside no córtex cingulado anterior? É pouco provável que um dia a neurociência dê respostas precisas a perguntas como essa. Em primeiro lugar, o conceito de um "centro" de livre-arbítrio não se harmoniza com o que já conhecemos sobre o funcionamento do cérebro. Talvez esta seja uma questão mais proveitosa e passível de ser respondida: "Será que a ciência que estuda o cérebro pode nos oferecer parâmetros úteis para descobrir se nossas decisões se baseiam na razão e não na emoção pura e simples?"

Demos um importante primeiro passo para tornar decisões mais livres ao descobrir o máximo possível sobre o processamento automático e inconsciente que ocorre no circuito emocional do cérebro. E a pesquisa contemporânea vem fornecendo esclarecimentos decisivos sobre o equilíbrio entre nossos pensamentos e nossas emoções com base nas descobertas sobre o tratamento de distúrbios emocionais como a depressão.

1110101011101010111010110000101010001110101000
10111010101111010101111101010011110101001111010
101000001010111000101011101010100010110011100010
110101010010011010111100010110010101110101000101
010010101110101010100010101011101010100111010110
101010101010101010101010101010101010101010101010
10101010101010101010101010101010101010101010101
01010101010101010101010101010101010101010101010
101111010111111100010101111010111110101011101010
1110101011101010111010110000101010001110101000
10111010101111010101111101010011110101001111010
101000001010111000101011101010100010110011100010
110101010010011010111100010110010101110101000101
010010101110101010100010101011101010100111010110
101010101010101010101010101010101010101010101010
10101010101010101010101010101010101010101010101
01010101010101010101010101010101010101010101010
101111010111111100010101111010111110101011101010
1110101011101010111010110000101010001110101000
10111010101111010101111101010011110101001111010
101000001010111000101011101010100010110011100010
110101010010011010111100010110010101110101000101
010010101110101010100010101011101010100111010110
101010101010101010101010101010101010101010101010
10101010101010101010101010101010101010101010101
01010101010101010101010101010101010101010101010
101111010111111100010101111010111110101011101010
1110101011101010111010110000101010001110101000
10111010101111010101111101010011110101001111010
101000001010111000101011101010100010110011100010
110101010010011010111100010110010101110101000101
010010101110101010100010101011101010100111010110
101010101010101010101010101010101010101010101010
10101010101010101010101010101010101010101010101
01010101010101010101010101010101010101010101010
101111010111111100010101111010111110101011101010
1110101011101010111010110000101010001110101000
10111010101111010101111101010011110101001111010

Capítulo 7

PSICOFARMACOLOGIA COSMÉTICA

Durante séculos, o princípio do tratamento da depressão era conversar com os amigos, que ajudavam ao lembrar à pessoa afetada que a situação poderia ser pior — afinal ela não estava morta, com uma doença fatal ou reduzida a uma situação de penúria etc. Mais tarde, graças a Sigmund Freud e outros, o distúrbio da depressão entrou no domínio dos psiquiatras, que formalizaram o tratamento por meio da "conversa" em vários tipos de psicoterapia. Por fim, desde a década de 1940, psiquiatras de orientação biológica descobriram que algumas substâncias químicas aliviavam a depressão, dando início à era da psicofarmacologia — o tratamento de doenças mentais com drogas.

A psicofarmacologia passou para o primeiro plano da percepção consciente do grande público nos anos 1990, com a introdução do Prozac e drogas semelhantes, chamadas de inibidores seletivos da reabsorção de serotonina (ISRSs). Esses fármacos aliviam a depressão ao aumentar a quantidade do neurotransmissor serotonina no espaço que separa os neurônios (a sinapse). (Os neurotransmissores funcionam como mensageiros químicos do cérebro. Depois de liberado de um neurônio mensageiro, o neurotransmissor entra na sinapse, ou fresta, que separa o neurônio das outras células nervosas. Em seguida, o neurotransmissor viaja pela sinapse até chegar a um neurônio receptor, ao qual se liga em um ponto específico, ativando-o.)

Embora a psicofarmacologia tenha sido um grande avanço no tratamento da depressão, não há ainda uma explicação inteiramente satisfatória sobre a eficácia dos vários antidepressivos. Em primeiro lugar, a maioria das drogas afeta mais de um neurotransmissor. Algumas chegam a alterar a quantidade de vários deles. Além disso, nenhum cientista consegue explicar como ou por que a simples modificação do nível de um ou mais neurotransmissores alivia a depressão. É óbvio que alguma mudança básica do cérebro está em jogo, mas qual?

Os estudos das imagens de ressonância magnética obtidas de portadores de depressão forneceram uma pista. Mostraram que o hipocampo — aquela primeira importante estação intermediária do circuito da memória — é menor que o normal nessas pessoas. Parece que a depressão pode levar à atrofia do hipocampo, um dos motivos pelos quais deprimidos se queixam com freqüência de dificuldades de memória.

Experimentos com animais lançaram certa luz sobre essa associação. Neles, é possível induzir a depressão. Quando um animal é separado de seus companheiros, mantido acordado e sob choques periódicos de uma grade elétrica embutida no piso da gaiola, acaba tendo uma série de mudanças endócrinas e cerebrais associadas à depressão, entre as quais uma atrofia do hipocampo semelhante à observada nas imagens de ressonância magnética de seres humanos deprimidos.

A análise microscópica do hipocampo do animal "deprimido" mostra uma remodelação estrutural das células do cérebro. Se um neurônio normal parece uma árvore no verão, com folhagem exuberante, aquele associado à depressão lembra uma árvore no inverno: os dendritos (as "antenas" receptoras do neurônio) são mais curtos e faltam-lhes muitos galhos.

O tratamento com antidepressivo evita muitas das alterações associadas à depressão. Em animais estressados aos quais se dá antidepressivo, o volume do hipocampo aumenta. Parte desse aumento deriva da maior "ramificação" dos neurônios, que ficam mais parecidos com a configuração normal de "verão". Além disso, são produzidas novas células cerebrais. (O hipocampo é uma das poucas áreas do cérebro onde há neurogênese — nascimento de células.) Os antidepressivos também previnem várias mudanças químicas provocadas pela depressão decorrente de estresse.

Sabemos que tais fármacos evitam modificações induzidas pelo estresse, quer no volume do hipocampo, quer no metabolismo do cérebro, quer na proliferação de células. Mas qual é o mecanismo comum por meio do qual os antidepressivos — muitos dos quais afetam diversos neurotransmissores — previnem essas mudanças? Uma explicação aceita hoje em dia é que todas as variedades de antidepressivos aumentam a quantidade de neurotropinas, substâncias químicas do cérebro que estimulam seu crescimento e desenvolvimento.

Um argumento em favor dessa visão afirma que o nível de uma neurotropina, conhecida como fator neurotrópico derivado do cérebro (FNDC), aumenta depois que o paciente toma um antidepressivo. O FNDC estimula o crescimento de novos neurônios, aumenta a ramificação .dendrítica (transformando a árvore de inverno numa de verão) e melhora as conexões entre os neurônios. Atualmente, a pesquisa tem por objetivo criar outras drogas que funcionem basicamente como neurotropinas. Esses novos fármacos prometem estimular o surgimento de células cerebrais ou, no mínimo, interromper ou diminuir a velocidade da perda de neurônios cerebrais e suas conexões.

CONEXÕES E REAÇÕES

É bem provável que a pesquisa psicofarmacológica e genética da depressão e de outros distúrbios neuropsiquiátricos avance na próxima década — deixando de ser uma abordagem de "tentativa e erro", na qual um psiquiatra testa uma série de drogas até por fim encontrar uma que dê certo — e passe a aproveitar nossos crescentes conhecimentos sobre a rede bioquímica da célula humana. O primeiro passo nessa direção se deu com o mapeamento do genoma humano, anunciado em 26 de junho de 2000 numa cerimônia realizada na Casa Branca em homenagem a seus dois principais seqüenciadores, Francis Collins e Craig Ventner. Mas, considerado de modo isolado, nem mesmo o sucesso do Projeto Genoma Humano vai levar a uma explicação inteiramente satisfatória da química do cérebro.

Para entender o porquê, preste atenção à seguinte "linha" típica do "texto" de 3 bilhões de letras que constitui nosso genoma: TAACATTACC ATTCAGACCA AATCGAGGCT ACTGGGCATC TACCATGAAT. O arranjo dessas letras — abreviaturas das moléculas que constituem o DNA (adenina, guanina, citosina e timina) — pode ser o código da cor dos cabelos ou dos olhos de uma pessoa, por exemplo. O problema é que, na maioria dos casos, os cientistas não conseguem relacionar uma linha do "texto" genético com determinada seqüência genética. É por isso que as pessoas não se conformam pura e simplesmente aos padrões de herança genética observados pela primeira vez em ervilhas pelo monge Gregor Mendel na década de 1850 — em que um gene expressa uma única característica. Na verdade, a maioria das variações realmente interessantes das características humanas (temperamento, inteligência, personalidade) resulta de combinações de muitos genes, e não de genes isolados. E podemos dizer o mesmo em relação à maior parte das doenças.

Segundo o físico Albert-László Barabási, autor de *Linked: The New Science of Networks* [Ligado: a Nova Ciência da Rede], "para curar a maioria das doenças, precisamos descobrir de que forma e quando genes diferentes trabalham juntos, como as mensagens viajam dentro da célula, que reações estão ou não acontecendo em certo momento e como os efeitos de uma reação se propagam por essa complexa rede celular". Isso significa que, mais que o gene em si, quem realmente determina o destino genético é a rede de conexões e reações dentro da célula. "Não há genes 'bons' e gentes 'maus', só redes que existem em vários níveis", concluiu o histórico artigo publicado pela revista *Science* que descreve a decodificação do genoma humano.

Essa distinção importante é análoga à minha experiência com as peças de uma churrasqueira fabricada na França, que comprei há pouco tempo. A engenhoca, que consiste em mais de cem peças, veio com um desenho complicado para ilustrar as etapas da montagem. As instruções estavam em francês. Como não tenho grande habilidade mecânica, não sou especialista em interpretar desenhos de montagem nem entendo francês, pus anúncio num jornal do bairro em busca de alguém que a montasse para mim. Mas, como descobri, encontrar uma pessoa capaz de montar a churrasqueira não era tarefa fácil.

Cerca de meia dúzia de experientes montadores de churrasqueiras examinou aquilo tudo, mas se recusou a fazer o serviço. Esses técnicos me disseram que o trabalho era "complicado demais". Por fim, um amigo bilíngüe que conserta motores de avião como meio de vida ofereceu-se para dar uma olhada no material. Depois de ler rapidamente as instruções, sentou-se e estudou com calma o desenho por cerca de meia hora. Em seguida, começou a trabalhar e, quatro horas mais tarde, estávamos preparando nosso churrasco. Isso só foi possível porque ele conseguiu montar as peças da churrasqueira, compreender o desenho da montagem e as instruções em francês.

Pense nos genes como se fossem as peças de uma churrasqueira, as instruções em francês como o mecanismo para transmitir as informações dos genes para o resto da célula, e o desenho como se fosse o diagrama geral de estrutura e funcionamento celular.

Uma célula em bom funcionamento requer uma estrutura interna e as fontes de energia necessárias para manter esse estado. Barabási compara a fonte de energia celular com o motor de um carro. Sozinho, o motor não é suficiente para uma viagem de ponta a ponta do país. Você também precisa de bancos, faróis, rodas e suspensão, e de todos os demais componentes em rede que fazem com que um carro seja um carro. Esse tipo de organização em rede se aplica às células. Agora o objetivo dos cientistas, em vez de se concentrar nos atributos de genes específicos, consiste em determinar as influências de todas as variáveis dessa rede metabólica celular.

"Se conhecerem o diagrama exato das conexões de uma célula e os instrumentos de diagnóstico capazes de captar a força das várias interações celulares, os médicos do futuro poderão testar a resposta celular a uma droga antes mesmo de você tomá-la", diz Barabási no livro *Linked*.

O REMÉDIO PERSONALIZADO

Depois de descobrir a maneira de interpretar esse "mapa da vida", será possível desenvolver drogas específicas para cada paciente. Seu chip de DNA — um conceito que tomou forma há pouco tempo — vai fornecer os meios para criar esses remédios, verdadeiras poções mágicas.

Basicamente, um chip de DNA é um *wafer* de silicone ou cristal com buraquinhos diminutos de tamanho suficiente para conter filamentos curtos de DNA, cada um com um único gene. Como o genoma humano consiste em cerca de 30 mil genes, o chip teria em torno de 30 mil buraquinhos — um para cada gene. Seu chip de DNA permite aos cientistas identificar o RNA mensageiro (RNAm) que é criação exclusiva de cada um de seus genes. Funciona como se explica a seguir.

Quando o DNA do núcleo de uma célula produz proteínas, faz isso copiando uma molécula de RNAm de um gene, que contém o código ou as instruções para fabricar uma única proteína, exclusiva dele. Em essência, as moléculas de RNAm são a tradução precisa do gene de que foram derivadas. Na verdade, a correlação é tão exata que cada molécula de RNAm só vai conseguir se encaixar num único buraquinho — um entre cerca de 30 mil — que contém seu DNA correspondente.

Imagine um cientista colocando uma célula de um portador de doença genética num chip de DNA. Só o(s) buraco(s) com o gene ou genes responsáveis pela doença vai(vão) receber os filamentos de RNAm da célula do paciente. Um leitor a laser vai escanear cada buraco do chip, localizando exatamente os genes que contêm o DNA que se combina com o RNAm da célula doente.

"Com o mapa da vida em mãos e com instrumentos como os chips de DNA, criados há pouco tempo, que monitoram as ligações entre os genes, os médicos vão conseguir uma lista detalhada de todas as moléculas e genes afetados por determinada droga", afirma o físico Barabási. Como esses novos métodos influenciarão as alterações cerebrais?

Imagine que você sofre de uma doença neuropsiquiátrica, como o transtorno bipolar. Até agora os pesquisadores identificaram pelo menos seis cromossomos (4, 6, 11, 13, 15 e 18) que contêm genes associados ao distúrbio. Esse gene de múltiplas funções reflete a probabilidade de que o transtorno bipolar não seja resultado de um único gene, e sim que vários deles podem causar a doença ao influenciar uma rede complexa de reações bioquímicas no interior das células do cérebro. Em termos práticos, isso significa que a psicose maníaco-depressiva pode resultar de uma disfunção de genes diferentes em diferentes pessoas. Se isso for verdade, então é necessário encontrar uma forma de identificar o gene ou os genes responsáveis por *seu* transtorno bipolar.

Atualmente, obtém-se a melhor chance de tratamento bem-sucedido do transtorno bipolar ao tomar uma ou mais de várias drogas à disposição. Mas a medicação eficiente para outra pessoa pode não ter a menor influência sobre o seu transtorno bipolar, um dos motivos para existirem tantas drogas por aí. Mesmo que você tenha a sorte de responder bem ao primeiro remédio prescrito pelo neuropsiquiatra, nem você nem o médico saberão qual é o gene ou os genes responsáveis por sua doença.

Além disso, como a droga influi em muitos processos celulares afora os responsáveis por sua doença, você vai correr maior perigo de apresentar efeitos colaterais e outros resultados indesejáveis, porque diversos neurotransmissores que hoje são o alvo de psicotrópicos não se limitam ao cérebro. Os receptores de serotonina, por exemplo, revestem o trato gastrointestinal — um dos motivos pelos quais em geral os pacientes tratados com ISRSs como o Prozac se queixam de diarréia e outros problemas.

Mesmo que você seja sortudo e não sofra efeito colateral algum e o transtorno bipolar melhore, a droga ainda pode induzir mudanças sutis na quantidade de energia à sua disposição, no apetite e na qualidade do sono. E, embora nenhum desses efeitos chegue a ser grave a ponto de recomendar a interrupção do uso do fármaco, nem você nem seu médico vão considerar o tratamento um êxito total.

Compare esse quadro com o tratamento que você pode ter na próxima década.

Depois da entrevista inicial, será tirada uma amostra de seu sangue (em alguns casos, do líquido cefalorraquidiano), e o DNA de suas células vai ser comparado com um chip de DNA. Esse procedimento identificará os genes e as proteínas que não estão funcionando bem e são as responsáveis por sua doença.

Em seguida, você fará um exame conhecido como espectroscopia de ressonância magnética (ERM), que dá informações exclusivas sobre a concentração de 25 a trinta componentes bioquímicos no tecido de regiões distintas do cérebro. Assim como o processo comum de obtenção de imagens por ressonância magnética, a espectroscopia usa uma freqüência de rádio para alterar a orientação magnética normal dos prótons nas áreas do cérebro investigadas. Quando a onda de rádio é desligada, os prótons voltam à posição original no campo magnético. Ao fazer isso, emitem um sinal de rádio que, captado por uma bobina receptora, forma uma imagem. É muito parecido com o que acontece quando se dá uma pancadinha com o dedo na agulha da bússola — ela oscila e depois volta à posição original. A velocidade e a extensão dos movimentos da agulha dependem, é claro, da força empregada para fazê-la oscilar. Da mesma forma, as variações na seqüência da onda de rádio e a força do campo magnético produzem sinais diferentes de espectroscopia, dependendo da localização e da concentração tanto dos neurotransmissores quanto das drogas. Então, um computador transforma essas informações num desenho com código de cores que permite ao neurorradiologista dizer, com um simples olhar, quais as partes do cérebro têm maior concentração de determinada substância bioquímica.

Com base no chip de DNA e nos resultados da ERM, o médico vai prescrever-lhe um medicamento destinado especificamente a corrigir aquele único gene e aquela única proteína defeituosa responsáveis por seu transtorno bipolar. E, por causa da especificidade da droga, você não sentirá efeitos colaterais. A droga não terá nenhuma outra ação em seu corpo além de corrigir o defeito ou os defeitos celulares subjacentes à doença.

Pouco antes de começar a usar o remédio, você vai receber uma injeção com um radioisótopo que adere aos receptores dos neurotransmissores nas áreas do cérebro envolvidas em seu transtorno bipolar. O mapa com código de cores resultante do escaneamento desses radioisótopos é, em essência, uma "impressão digital" cerebral que distingue o padrão de neurotransmissores-receptores de seu cérebro do de todos os outros. Você também realizará um exame para obtenção de imagens de fonte magnética funcional e um estudo de imagens produzidas por ressonância magnética simples. O primeiro vai mostrar o fluxo sangüíneo e as alterações metabólicas relacionadas à ativação de várias estruturas cerebrais. O segundo trará informações sobre as correntes elétricas existentes nas mesmas áreas monitoradas pelo primeiro.

Depois de algumas semanas de uso da droga personalizada, o médico lhe perguntará como você está se sentindo. Como haverá pouco risco de os efeitos colaterais serem problema, vocês poderão se concentrar em saber se seus sintomas bipolares melhoraram. Após a entrevista, você passará por novos exames para comparar com os anteriores. Se o tratamento for bem-sucedido, a melhora será visível nas imagens obtidas.

Para mostrar visualmente os sinais de sua melhora, um radiologista fará o que se chama de estudo de subtração — eliminará da imagem original e da atual todos os elementos em comum, revelando em grande contraste as alterações cerebrais ocorridas desde o início do tratamento.

Imagine que você está olhando por uma janela de sua casa e resolveu bater uma foto. Um ou dois dias depois, você tira outra. A rua, os prédios e demais elementos da paisagem não mudaram, mas o número e a combinação de pessoas que andam pela calçada vão diferir da primeira fotografia. Se você subtrair os elementos comuns às duas imagens, ficará somente com as características que distinguem uma da outra. É assim que um estudo de subtração funciona, com imagens do cérebro tiradas antes e depois.

Com as informações reunidas em estudos de subtração e outras técnicas, o médico e o radiologista vão discutir para refinar ainda mais seu diagnóstico e tratamento. "A maioria das pessoas com esse tipo de imagem responde bem ao Paxil. Acho que vamos experimentar essa droga por duas semanas e então pedir ao paciente para voltar e fazer novos exames de acompanhamento", dirá o neuropsiquiatra ao seu colega neurorradiologista.

Exames subseqüentes permitirão que o neuropsiquiatra compare o estado de seu cérebro e de suas correntes elétricas antes e após o uso da medicação. E esses resultados podem ser empregados para fazer outra comparação, depois que você tiver parado de tomar o remédio, para ajudar a dar continuidade ao tratamento.

DROGAS DE ESTILO DE VIDA

Será que os benefícios da psicofarmacologia e das tecnologias de obtenção de imagens do cérebro vão se limitar a pessoas com distúrbios mentais diagnosticáveis, ou essa ciência nova e empolgante também tem algo a oferecer a pessoas "normais"? Na verdade, será que existe um uso apropriado de drogas que alteram o estado de consciência para pessoas que não têm nada de errado no cérebro?

No momento, as drogas psicotrópicas já estão sendo prescritas para pessoas que não sofrem de distúrbio emocional algum. O modafinil, por exemplo, vendido com o nome comercial de Provigil (uma abreviatura de "promoção do estado de vigília"), foi criado originalmente para tratar a narcolepsia, transtorno mental raro, evidenciado por uma urgência irresistível em cair no sono, muitas vezes em circunstâncias inusitadas e até perigosas, como ao dirigir um veículo. Como a narcolepsia é pouco freqüente, seria de se esperar vendas modestas desse medicamento. Na verdade, os americanos adquiriram quantidades dessa droga equivalentes a 150 milhões de dólares em 2001. Três quartos dos compradores não têm narcolepsia nem nenhum outro transtorno emocional diagnosticável. Na realidade, a maioria dos usuários de modafinil são pessoas inteiramente normais que consomem a droga para combater a sonolência.

Em vez de dirigir seus esforços para o tratamento de distúrbios do sono como a narcolepsia, os pesquisadores estão estudando a eficácia do modafinil para manter motoristas de caminhão acordados durante viagens longas, para melhorar o desempenho de operários que trabalham em turnos, para manter soldados alertas e em condições de lutar durante demoradas missões de combate, e para permitir que os sobrecarregados e os ambiciosos trabalhem sem parar, chegando a passar talvez dois ou mais dias sem dormir.

Os pesquisadores já sabem que pessoas saudáveis que tomam modafinil se mantêm acordadas por mais de dois dias (54 horas, para ser exato) sem mostrar nenhum déficit no desempenho. Para pôr esse estudo em perspectiva, pense na última vez em que você perdeu até mesmo uma única noite de sono e depois teve de se arrastar para o escritório no dia seguinte. Sua concentração, estado de alerta, eficiência e controle emocional passaram por uma verdadeira provação. Não teria sido ótimo se, ao sair de casa, você tivesse ingerido uma droga capaz de restaurar seu funcionamento normal? Uma droga que depois você poderia usar para regular o sono e o estado de vigília segundo *seus* desejos? Considere a vantagem decisiva sobre seus colegas e concorrentes que um remédio desses lhe proporcionaria.

É provável que o modafinil seja apenas a mais recente de uma longa série de drogas de "estilo de vida", destinadas a pessoas que não sofrem de nenhum distúrbio diagnosticável. Em certos casos, está ficando cada vez mais difícil distinguir entre problemas médicos e questões de estilo de vida. Se um operário arranja um emprego que exige mudanças freqüentes de turno e, por isso, começa a ter dificuldade para dormir, combinada com sonolência e ineficiência no trabalho, você diria que ele está com um problema patológico? Certamente, se optarmos por chamar esse problema de doença, seria uma doença bem estranha, uma vez que o operário pode se curar apenas abandonando o emprego e arranjando outro em que trabalhe durante o horário comercial.

Segundo o DSM-IV, a compilação oficial dos transtornos mentais e emocionais feita pela Associação Psiquiátrica Americana, o distúrbio do sono relacionado ao ritmo circadiano pode ser diagnosticado quando o relógio biológico de uma pessoa (o ciclo circadiano de sono-estado de vigília) é normal mas há "conflito entre o tipo de sono e estado de vigília gerados pelo sistema circadiano e o tipo desejado de sono e estado de vigília exigido pelo trabalho por turnos". Em outras palavras, é mais o estilo de vida que a biologia que fornece a base para o diagnóstico da doença.

TIMIDEZ OU FOBIA SOCIAL

A fobia social é outro distúrbio de estilo de vida que as pessoas podem querer tratar com fármacos e/ou com as tecnologias mais recentes de obtenção de imagens do cérebro. Determinar quem sofre de fobia social não é tão fácil quanto parece à primeira vista, embora o DSM-IV apresente alguns critérios específicos para esse diagnóstico. Por exemplo: suponha que você raramente se aventure para fora de casa por medo do julgamento dos outros e que faça praticamente qualquer coisa para evitar o contato social. Se manifesta essas características, você tem todos os requisitos necessários para o diagnóstico de fobia social, e o tratamento com um dos ISRSs pode eliminar seus sintomas incapacitantes.

Suponha, porém, que na verdade sua "fobia social" não envolva mais que a sensação de estar tenso ao conhecer e conversar com estranhos. Além disso, você fica angustiado e nervoso quando solicitado a fazer uma apresentação qualquer em seu trabalho. No entanto, apesar do desconforto moderado nessas situações e da preferência por não se relacionar com um número muito grande de desconhecidos, seu desempenho profissional é perfeitamente aceitável, na opinião de seus supervisores, e você mantém contato social regular com um pequeno grupo de amigos. Você está sofrendo de uma doença, a fobia social, ou será que é apenas uma pessoa tímida?

Tratar a timidez como fobia social é apenas um exemplo da nova tendência de medicalizar e rotular como transtorno comportamentos moderadamente incapacitantes mas inteiramente normais. Essa tendência é alimentada por anúncios de drogas específicas usadas para tratar a fobia social voltados diretamente para o consumidor. Muitas vezes, esses anúncios insinuam que apenas os extrovertidos são pessoas normais. Sugerem que, se você prefere ler um livro a ir a uma festa ou fazer uma refeição tranqüila sozinho ou com o cônjuge a jantar num restaurante lotado e barulhento, deve ser levado a pensar que está sofrendo do "distúrbio" de fobia social.

Uma medicalização semelhante de traços normais de personalidade vem acontecendo com a depressão. O rótulo de depressão é aplicado a qualquer um que diz que, "em geral, as coisas não estão indo muito bem" ou "o mundo está indo de mal a pior". Devido a esse tipo de medicalização, uma pessoa antes descrita como pessimista, séria ou mesmo filosófica agora é redefinida como portadora de problemas emocionais. Como estes melhoram com a medicação, pode haver pressões sutis, e às vezes nem tão sutis assim, para essas pessoas tomarem drogas que alteram o estado emocional.

Vendedores ou outros trabalhadores de setores que envolvem muito contato pessoal são incentivados a parecer sempre alegres e animados. Qualquer coisa menos que uma exuberância quase maníaca, combinada à facilidade de manter conversas sociais ininterruptas e vazias, é considerada um indício de depressão. Embora seja verdade que os empregadores sempre preferiram uma equipe de vendas composta de pessoas extrovertidas, e não de gente taciturna e introvertida, agora que dispomos de drogas que alteram o estado emocional essa opção se consolidou. Além disso, mesmo em casos nos quais não se alega a existência de problemas, a personalidade normal pode ficar "mais normal" ainda com o emprego desses medicamentos. É claro que isso difere das normas de uso da maioria das outras drogas.

Um antibiótico, por exemplo, pode levar à melhora surpreendente de um portador de doença infecciosa, mas revela pouco efeito sobre um organismo saudável. A mesma seletividade existe para a maior parte das demais drogas — elas curam ou melhoram a saúde dos doentes, mas têm pouca influência sobre seres sadios. Não é, porém, o que se dá com os psicotrópicos.

Um indivíduo de índole cética e taciturno pode "melhorar" enquanto estiver tomando as novas drogas do tipo do Prozac. Pode dizer que se sente melhor; o cônjuge e amigos podem até afirmar que notaram redução nas manifestações de "pessimismo". Mas será que essa pessoa está realmente melhor? Talvez sim, mas sua melhora pode ser atribuída ao efeito do medicamento sobre um "transtorno" depressivo? Ou a droga só gera uma mudança no que seria tradicionalmente considerada uma personalidade pessimista?

Hoje os psiquiatras costumam diagnosticar indivíduos de personalidade pessimista como portadores de transtorno distímico. Com exceção dos sentimentos de desespero (um critério para o diagnóstico do transtorno distímico), muitos de nós às vezes demonstra uma visão de mundo pessimista. É claro que isso propõe a questão de saber se a distimia é de fato doença ou apenas uma variação da personalidade normal. A história revela muitas personalidades pessimistas que, pelos padrões de hoje, seriam candidatas a ingerir drogas que alteram o estado emocional. Qual teria sido o resultado de antidepressivos em alguém como Arthur Schopenhauer, o circunspecto filósofo do século XIX? Será que sua melhora teria interferido em seu esforço para escrever o sombrio e melancólico *O Mundo como Vontade e Representação*, que caracteriza todo o empenho humano como algo "destinado a só trazer infelicidade"?

Por causa da pesquisa do cérebro, chegamos ao ponto em que poderosas substâncias químicas podem ser utilizadas para alterar o pensamento e a conduta. Nessa medida, a psicofarmacologia representa uma vitória. Mas essas mesmas drogas podem ser usadas em prol da causa da engenharia social, e isso não é uma coisa tão boa. Na verdade, o emprego de medicamentos para melhorar ou alterar personalidades em essência normais pode cobrar um preço mais alto do que a maioria de nós pensa.

Como disse Simona Folescu numa carta ao editor publicada no *Washington Post*, "o desenvolvimento humano é estimulado freqüentemente em resposta à percepção de uma falta ou necessidade. As drogas que mascaram condições sociais opressivas, aumentando a sensação de valor pessoal, na verdade obscurecem a necessidade de mais progresso social e material. O estado nebuloso de euforia induzido por droga pode dificultar a consciência das realidades sociais e acostumar a pessoa à desigualdade e à desumanidade das condições existentes no mundo".

No plano pessoal, agentes que modificam a condição emocional também podem tornar mais fácil tolerar situações que se deveria procurar mudar, como casamento fracassado ou emprego que não oferece possibilidade de avanço. E as drogas podem ser usadas para suprimir emoções inteiramente normais. Muitas pessoas me procuram na clínica neuropsiquiátrica para pedir tranqüilizantes que as ajudem a enfrentar situações como o velório de um ente querido. Fazem isso por acreditar que a expressão pública de pesar deve ser reprimida para não criar constrangimento.

Será que estamos no umbral de uma era de transformação de personalidade induzida por medicamentos? Uma época em que as pessoas vão tomar remédios para eliminar ou reduzir os sentimentos mais difíceis, como a tristeza, a preocupação, a incerteza e o luto? Embora seja importante não deixar a vida ser controlada por esses sentimentos, será que desejamos eliminá-los inteiramente de nossa existência? Para responder a essa questão, gostaria de falar do que seria a vida numa era de psicofarmacologia cosmética.

SEM NENHUM SENTIMENTO

Nosso personagem é um empresário de 54 anos. Vamos chamá-lo de Ted. O sono de Ted, em razão de freqüentes viagens de negócios, tende a ser irregular e afetado pelos diferentes fusos horários nos quais se encontra de um dia para o outro. Após sucessivas viagens, ele chega cansado demais para ser eficiente em seu trabalho. Mas, há pouco tempo, o empresário resolveu esse problema com o modafinil, a droga do sono já mencionada e que não sabemos exatamente como atua.

Duas semanas antes de sua viagem atual, Jim, o irmão caçula de Ted, morreu num acidente de carro. Embora tenha ficado arrasado ao receber a notícia, ele logo se recuperou, com a ajuda de um tranqüilizante. Três dias depois, tomou outro tranqüilizante para conseguir manter a calma durante o enterro. Parece que a droga funcionou, pois Ted não derramou uma única lágrima no funeral do irmão. Logo após a cerimônia, pegou um táxi para o aeroporto e retomou suas viagens de negócios.

E agora, depois de duas semanas distante, Ted está começando a se surpreender pensando no irmão. No aeroporto de Dallas, o empresário de repente rompe em lágrimas "sem nenhum motivo". Mas ele não vai se entregar a reações "mórbidas". Com base em suas leituras, diagnosticou-se corretamente como alguém no início de uma depressão após uma reação de pesar abortada. Quando reflete rapidamente se devia ou não ter agido de outra maneira, acaba concluindo que não tem do que se arrepender. Claro, teria sido ótimo adiar sua viagem por alguns dias e tentar consolar a viúva e os filhos do irmão; mas o que teria realmente para lhes dizer? Jim partiu, e não há nada a ganhar remoendo morbidamente esse fato.

Ted guarda alguns antidepressivos que sobraram há dois anos, quando ele se tornou, segundo suas próprias palavras, "disfuncional" e "apático", perguntando-se que sentido tinha sua vida, afinal de contas. O antidepressivo se mostrou eficiente, e ele logo parou de se arrastar pela casa com esse tipo de preocupação. Agora Ted acredita que o antidepressivo vá funcionar igualmente bem para sua "fixação" na morte do irmão. Acha que o melhor é "superar" a questão e "tocar em frente".

Se o antidepressivo funcionar, o empresário logo vai parar de pensar no irmão. Trabalhará com dedicação máxima, sem nenhum sentimento de perda e sem ficar remoendo coisas do passado de forma mórbida. Mais tarde, quando chegar ao quarto de hotel, ele se adaptará à diferença de cinco horas de fuso horário recorrendo ao modafinil. No fim de suas reuniões de negócios, vai voltar ao seu quarto e tomar um comprimido para dormir. De manhã, o antidepressivo o auxiliará a começar o novo dia *sem sentir absolutamente nada.*

Embora Ted seja uma combinação de vários pacientes que me procuraram nos últimos anos, não é uma obra de ficção. Há legiões como ele por aí, travando guerra interior contra emoções e sentimentos inteiramente normais. Pacientes como Ted estão abusando de medicamentos que alteram o estado emocional e o estado do cérebro para manter um estilo de vida. Mas o que vai acontecer com nossa capacidade de compaixão e afeto num mundo onde reações como o luto e o pesar pela morte de um irmão são consideradas mórbidas e é melhor eliminá-las com a ingestão de uma droga que atue o mais rápido possível? Será que desejamos realmente que a ciência do cérebro nos dê os recursos químicos para alterar respostas emocionais absolutamente saudáveis?

Como você deve estar percebendo, tenho reservas quanto ao uso de drogas para eliminar emoções desagradáveis ou falta de auto-estima. Mas, a bem da justiça, essa história tem outro lado. Eis aqui um resumo excelente dado por Tony Boyle numa carta (ligeiramente ressumida) enviada ao *Times Literary Supplement,* da Grã-Bretanha:

> "Se o Prozac — ou um antidepressivo ainda melhor que exista no futuro — puder promover maior bem-estar sem custos proibitivos, é difícil imaginar que objeções morais podem ser levantadas contra ele. Por que tomar Prozac tornaria sem sentido fazer coisas que valem a pena, como obras de caridade ou visitas a um amigo doente no hospital? Não há nenhuma razão para supor que aqueles que estão sob ação da droga vão ficar menos motivados a tomar esse tipo de atitude; nem que os usuários de Prozac deixam de ter tanta satisfação quanto o resto de nós com tais gestos. Muita gente sofre com a falta de auto-estima, não como conseqüência de alguma coisa que tenha feito, mas tão-somente em função da neuroquímica. Em geral, não é uma bênção que os antidepressivos possam alterar favoravelmente o equilíbrio químico?"

Quer você considere a psicofarmacologia uma bênção ou uma maldição, há uma aplicação que, se você for como a maioria das pessoas que entrevistei, acho que verá com bons olhos — as drogas para aprimorar a memória.

MELHORA DA MEMÓRIA NUMA ERA DE "LINHAS CRUZADAS"

Qual a área do funcionamento mental você mais gostaria de aperfeiçoar? Quando se faz essa pergunta, a maior parte das pessoas escolhe a memória. Todos nós gostaríamos de lembrar mais. E a memória pode ser incrivelmente melhorada por meio do esforço e da prática constante, como mostrei em um de meus livros anteriores, *Mozart's Brain and the Fighter Pilot* [O Cérebro de Mozart e o Piloto de Caça]. Além disso, já existem pílulas para estimular a memória a curto prazo. Há anos as anfetaminas e outras drogas que estimulam a produção de dopamina ajudam estudantes a abarrotar o cérebro com quantidades imensas de informações em curto período de tempo. Em geral, o aluno ingere a droga quando está estudando e repete a dose pouco antes da prova. Mas, embora esses fármacos funcionem durante as provas, são um fracasso em termos de melhora da educação. Os estudantes não se recordam do material estudado depois que passa o efeito da droga — um fenômeno chamado de "aprendizado dependente do estado". Em essência, seja o que for que tenha sido aprendido sob o efeito de uma droga, não é lembrado, a menos que a pessoa esteja de novo sob sua influência.

Mas agora temos bons motivos para acreditar que, num futuro próximo, os neurocientistas criarão um remédio capaz de melhorar substancialmente a memória humana sem nenhuma das desvantagens e problemas associados às drogas mais antigas. Como funcionaria um medicamento desses? Para responder a essa pergunta, considere como as memórias normais são formadas.

Levante os olhos desta página e olhe à volta. Escolha algo específico para memorizar, talvez o título de outro livro que está numa mesa ou prateleira próxima. A informação visual (a capa do livro) combina-se com a linguagem (o título), e essa informação é levada para o hipocampo, situado perto da ponta do lobo temporal de ambos os lados do cérebro.

No interior de cada hipocampo, células nervosas comunicam-se eletroquimicamente. O impulso nervoso passa por um prolongamento celular, o axônio, até chegar ao fim da linha, onde estimula a liberação de substâncias químicas, os neurotransmissores, que viajam pelo espaço sináptico que separa a célula nervosa transmissora de sua vizinha e encaixam-se em receptores especiais.

A repetição dos sinais de um neurônio transmissor aumenta a concentração de uma molécula mensageira situada dentro de um neurônio receptor. Conhecida como AMP cíclico (monofosfato de adenosina cíclico ou, abreviadamente na sigla em inglês, c-AMP), essa substância transmite o sinal nervoso para o núcleo do neurônio. Por fim, por meio de uma cascata de reações químicas, o c-AMP ativa uma molécula de memória conhecida como CREB (proteína de ligação da resposta ao c-AMP, se você quiser saber o que significa essa sigla). Depois a CREB estimula a produção de novas proteínas, que retornam à sinapse e formam a lembrança do título daquele livro fortalecendo a conexão entre os dois neurônios. É claro que não estamos falando aqui apenas de um único neurônio, e sim de milhares deles, talvez milhões.

Agora o c-AMP e a CREB são os dois alvos mais populares das drogas que melhoram a memória. Em 1998, Eric Kandel, pesquisador da Universidade Columbia em Nova York que recebeu o Prêmio Nobel de fisiologia e medicina de 2000, realizou um experimento com ratos velhos que haviam perdido a capacidade de encontrar a saída de um labirinto. Deu-lhes uma droga que bloqueava a destruição do c-AMP, elevando assim a disponibilidade desse mensageiro químico. É claro que houve melhora na capacidade daqueles ratos velhos de encontrar a saída do labirinto.

Outro neurocientista, Tim Tully, está se concentrando na CREB. Até agora, Tully e sua equipe do Helicon Therapeutics, em Farmingdale, Nova York, estudaram mais de 200 mil substâncias em busca das que aumentam a produção de CREB e c-AMP. Diversos pesquisadores estão estudando outras regiões do cérebro que sabem ser importantes para a transmissão de informações entre as células cerebrais. São, na maioria, locais com receptores — áreas onde os neurotransmissores se encaixam e passam as informações do mensageiro para a célula receptora. Os genes também estão recebendo toda a atenção que merecem. Como já disse antes, o uso de chips de DNA permite a varredura de milhões de genes em busca daqueles que contribuem para a memória e ainda não sabemos.

Em fevereiro de 2002, Tully disse a Robert Langreth, um jornalista da área científica, que o êxito na busca de um remédio que estimule a memória não é uma possibilidade — é apenas uma questão de tempo. Se isso for verdade, devemos começar a nos fazer algumas perguntas.

Será que queremos realmente nos lembrar de tudo o que aprendemos e vivemos? A maioria de nós concordaria que é melhor esquecer certas coisas. Lembranças desagradáveis podem até levar a distúrbios emocionais como o estresse pós-traumático. Além disso, o esquecimento constitui parte importante do funcionamento normal da mente. Você quer realmente se lembrar de todos os números de telefone para os quais discou na vida? Essa capacidade de se recordar de tudo poderia se mostrar penosa e frustrante, como aconteceu com muito sábios famosos que se queixaram de seu "dom" de memória perfeita.

Em vez de abarrotar o cérebro com lembranças inúteis, a maioria de nós gostaria de aprimorar a capacidade de se lembrar de coisas importantes, como nomes, datas e itens relacionados a nosso trabalho e vida social. Além disso, seria bom dispor instantaneamente dessas informações, o que sugere que, na verdade, preferimos a recuperação rápida de informações a um grande aumento na capacidade de armazená-las. E essa opção pelo processamento ágil faz muito sentido. Como a maior parte de nossos problemas normais de memória está ligada ao tempo, surpreendemo-nos muitas vezes dizendo: "Espere, espere! Não me conte".

Pense em seu mais recente "lapso" de memória. A menos que esteja realmente nos primeiros estágios do mal de Alzheimer, você não se esquece de um bloco inteiro de informações (onde esteve ou o que fez ontem); em geral, você tem uma dificuldade momentânea de acesso a uma informação que "estava na ponta da língua". Uma "pílula da memória" seria de grande ajuda para diminuir a freqüência com que acontecem essas falhas momentâneas.

Um remédio para apagar lembranças também pode vir a existir no futuro. A ciência por trás disso envolveria eliminar o c-AMP ou a CREB ou outras moléculas ligadas à memória. O medicamento, tomado logo após um evento penoso, bloquearia o processo de sua incorporação aos circuitos do cérebro envolvidos com a memória de longo prazo. Como a transferência da memória de curto prazo para a de longo prazo pode se consumar em até 24 horas, as lembranças poderiam ser bloqueadas quimicamente mesmo que a pílula antimemória fosse administrada várias horas depois do trauma.

Mas as drogas que apagam a memória apresentam problemas característicos. Tradicionalmente, fomos levados a acreditar que o caráter se forma quando enfrentamos as dificuldades e as superamos, em vez de evitá-las ou fugir delas. Que conseqüências haveria se engolíssemos um remédio antimemória momentos depois de passar por uma experiência desagradável? Com base em minha experiência com pacientes com amnésia, não acho que seria boa idéia.

Muitas vezes, pacientes que sofreram concussão num acidente de carro queixam-se amargamente para mim de que não conseguem se lembrar do acontecido. Essa frustração é particularmente intensa após colisões em que houve mortes. "Por que você quer lembrar uma coisa dessas?", perguntava-lhes. "A natureza foi boa com você. Pare de tentar recordar algo que só vai lhe trazer sofrimento", acrescentava. Mas descobri que a maioria das pessoas quer se lembrar do acidente para poder incorporá-lo à experiência de vida. Quando não é rememorada, a ocorrência existe como uma espécie de corpo estranho — um estilhaço psíquico — que irrita e exaspera.

Mas também consigo imaginar situações em que o sofrimento é tão forte que eu não culparia ninguém por querer uma pílula que lhe apagasse a memória. Estou pensando agora nas pessoas que se dispuseram a prestar socorro depois da explosão na cidade de Oklahoma. Eram, na maioria, voluntários sem nenhum treinamento que os tivesse preparado para o que iam encontrar. Mais tarde, tanto esses voluntários quanto os sobreviventes da explosão apresentaram a maior incidência de doenças psiquiátricas já registrada oficialmente entre qualquer das dezenas de desastres estudados antes pela unidade de psiquiatria de emergência do Hospital Barnes-Jewish da Universidade Washington, em Saint Louis. Esses mesmos pesquisadores previram que, em decorrência do ataque terrorista contra as torres gêmeas, distúrbios psiquiátricos se tornarão "mais freqüentes, sendo possível que afetem dezenas de milhares de indivíduos diretamente expostos a essa experiência".

Se eu tivesse estado presente a um desses horríveis acontecimentos, teria tomado um medicamento que apagasse minhas lembranças, se houvesse algum à mão? Francamente, não tenho certeza. E você? Teria optado por ingerir uma dessas drogas? Como muitas outras questões suscitadas pela pesquisa na era do Novo Cérebro, sozinha a neurociência não tem condições de dar respostas inteiramente satisfatórias.

Em síntese, nosso conhecimento cada vez maior do cérebro está levando ao desenvolvimento de drogas sofisticadas que alteram a consciência. Mas, ao mesmo tempo, esses avanços acarretam mudanças fundamentais na maneira como nos vemos.

Eis aqui nosso enigma: se pensarmos que somos pouco mais que máquinas químicas passíveis de ser manipuladas por meio de drogas, o que acontece com conceitos tradicionais como o livre-arbítrio e a responsabilidade pessoal? Embora em sua maior parte os avanços de nossa compreensão do cérebro levem mais ao aumento que a limitações de nossa liberdade, qual será o resultado final se o preço dos benefícios for a linha cruzada: pessoas que interpretam suas experiências em termos químicos, em lugar de vê-las como relações interpessoais?

"Vim fazer uma consulta para obter um remédio que aumente a quantidade de serotonina nas minhas sinapses", disse-me um paciente durante a primeira visita para tratar o que era claramente uma depressão clínica mais ou menos grave. Na era do Novo Cérebro, será necessário atenção para não nos aprisionarmos em conceitos que diminuem nossa liberdade, em vez de aumentá-la.

Capítulo 8

O TRATAMENTO DO CÉREBRO DOENTE

Novas tentativas de curá-lo

Todo ano, cerca de 730 mil americanos sofrem derrame — o súbito bloqueio do suprimento de sangue para o cérebro. Os derrames podem resultar do fechamento de um vaso sanguíneo importante que serve o cérebro (trombose), da chegada ao cérebro pela corrente sanguínea de um coágulo proveniente de outra parte do corpo (embolia) ou da ruptura de um vaso sanguíneo cerebral (hemorragia).

Seja qual for sua origem, o derrame pode causar grandes danos: paralisia de um lado do corpo, problemas de fala, perda do equilíbrio e da coordenação. Os sintomas exatos dependem das partes específicas do cérebro privadas de oxigênio. O mais comum é a pessoa perder a capacidade de usar o braço e a mão de um dos lados do corpo.

Para se ter idéia dos efeitos de um derrame, tente amarrar o cadarço do sapato ou abotoar a camisa só com uma das mãos. Nada fácil, não é mesmo? No entanto, as vítimas de derrame são obrigadas a fazer esses esforços. Após algum tempo, podem ficar tão acostumadas à paralisia e tão dependentes do braço que funciona normalmente que parecem até esquecer o do lado paralisado. Por exemplo: um paciente, ao comer, vai empregar o braço bom para usar os talheres enquanto mantém o outro no colo. Se precisar cortar a carne ou passar manteiga no pão, ele pode pedir ajuda ou apenas desistir de fazê-lo por pura frustração.

Tradicionalmente, os esforços para a reabilitação concentram-se em aperfeiçoar o desempenho do lado normal. Mas, no caso de muitas atividades, tentar obrigar um membro a fazer o trabalho de dois simplesmente não dá certo. Para piorar as coisas, depois de um derrame a pessoa costuma achar sua situação constrangedora e tenta escondê-la ou ignorá-la, por receio de que o lado paralisado nunca mais volte a ser o mesmo.

Esse medo, porém, reflete uma visão obsoleta do desenvolvimento do cérebro e de suas possibilidades de recuperação. Os neurocientistas já acreditaram que o desenvolvimento cerebral cessava num momento qualquer do início da vida adulta. "Vai tudo morro abaixo depois dos 35" era uma expressão típica desse pessimismo e determinismo. No entanto, nas duas últimas décadas os pesquisadores descobriram que os circuitos cerebrais podem sofrer mudanças para melhor ou para pior, dependendo de nossas atividades e experiências. Agora sabemos que o cérebro pode refazer seus circuitos praticamente em qualquer idade.

Após um derrame, o cérebro passa por uma reorganização complexa. De início, o tamanho do córtex dedicado à área lesada se reduz e essa região se torna menos excitável. Essa *reorganização cortical relacionada à lesão* é seguida por um segundo estágio: a *reorganização cortical dependente do uso.* Nessa fase, o cérebro forma novos circuitos com base nas tentativas constantes de usá-lo — isto é, o esforço mental para movimentar as partes do corpo paralisadas. Em conseqüência desses esforços, a área do córtex correspondente ao membro paralisado se amplia. Em outras palavras, temos aqui mais um exemplo de plasticidade e da fórmula de "usar ou perder" que se aplica ao cérebro em todos os níveis e em todas as idades.

Os especialistas em reabilitação se perguntaram se o que sabiam sobre a capacidade do cérebro de mudar sua organização funcional poderia ser aplicado à recuperação de pacientes de derrame. Para descobrir a resposta, um grupo de neurocientistas induziu um derrame de pequenas proporções em macacos, o que prejudicou a capacidade desses animais realizarem movimentos precisos com os dedos de uma das mãos. Depois esses pesquisadores criaram um programa de reabilitação em duas etapas. Durante a fase de *restrição*, a mão normal do macaco era posta numa jaqueta especial que o deixava sem alternativa exceto usar a mão com problema. Na parte de *treinamento* do programa de reabilitação, praticavam-se movimentos específicos só com a mão afetada. No fim, os animais praticamente recuperaram o uso normal da mão lesada pelo derrame.

Seguindo essa pista do estudo com macacos, Edward Taub, especialista em reabilitação do departamento de psicologia da Universidade de Alabama, em Birmingham, trata pacientes de derrame com o que chama de terapia de restrição induzida (RI) do movimento. Taub limita o uso do braço bom colocando-o numa luva com separação só para o polegar, como a de beisebol, ou numa tipóia que a pessoa usa durante 90% do tempo que passa acordada, ao longo de duas semanas. Em dez desses dias, o paciente faz seis horas diárias de treinamento do braço fraco, praticando funcionalmente movimentos importantes como pegar objetos pequenos, manejar garfo ou colher, cortar um pedaço de carne com a faca etc. O objetivo é reorganizar os circuitos cerebrais e recuperar alguns dos movimentos perdidos, mobilizando a plasticidade inerente ao cérebro.

"Acreditamos que a lesão do cérebro, seja qual for a causa, é seguida de um lento período de cura. Nos primeiros estágios desse processo, o paciente aprende a não tentar usar a parte paralisada, porque não adianta. Damos a isso o nome de desuso adquirido", relata o especialista.

O tratamento de Taub resulta numa reversão do desuso adquirido. Com a terapia de restrição induzida, alguns indivíduos com paralisia de longa data em um dos membros recuperaram seu uso, que passou a ser indistinguível daquele anterior ao derrame. Avaliações realizadas mostraram crescimento na porção cortical do cérebro responsável pelo membro afetado, que antes estava mirrada. Os cientistas acham que esse aumento de tamanho deriva da elevação da capacidade de excitação da rede nervosa do hemisfério atingido pelo derrame. Além disso, a rede recruta neurônios adicionais para compensar a área prejudicada. Mas por que seria necessário limitar o uso da mão boa para promover esse tipo de mudança? Uma explicação surgiu de um estudo feito com gatinhos.

O CÉREBRO INTENCIONAL

Na década de 1960, David Hubel e Torsten Wiesel realizaram experimentos nos quais costuravam um olho de um gatinho recém-nascido. Descobriram que a visão daquele olho se desenvolveria normalmente se se retirassem os pontos antes de oito semanas. Mas, se a sutura permanecesse por período maior, o animalzinho perderia a visão normal daquele olho. Como explicou Hubel, "o fechamento de um olho produz efeitos que são, em grande parte, resultado da competição. É como se os neurônios do olho aberto se aproveitassem de alguma forma de seus rivais do olho fechado efetuando um número maior de conexões. Na competição por espaço no córtex visual, os neurônios do olho bom vencem".

Os experimentos de Hubel e Wiesel com gatinhos justificam a cirurgia para remoção de catarata em recém-nascidos. Passado muito tempo, um olho com catarata não será capaz de proporcionar boa visão, porque o olho normal em desenvolvimento vai se apoderar de todo o circuito cortical utilizado por ambos os olhos nas crianças sem esse problema.

Uma situação parecida acontece depois de um derrame. Com a perda de neurônios que controlam o movimento e a sensação do membro paralisado, aqueles que comandam o outro membro estabelecem um número maior de conexões. Por isso, a área cortical relacionada com o membro normal cresce a custa da área cortical do membro paralisado. O desequilíbrio em tamanho e número de circuitos daí resultante se revela maior ainda quando o paciente utiliza apenas o membro bom. Mas restringir o membro bom e usar o fraco corrige o desequilíbrio e restaura o funcionamento regular. A chave é garantir que as partes do cérebro sem lesão não se apoderem nem dominem as afetadas. "Restringir e retreinar" é a proposta básica.

Apesar de seu surgimento recente, a terapia de restrição induzida do movimento baseia-se num dos princípios mais antigos e importantes do funcionamento do cérebro — o de que é um órgão intencional. Suas atividades não se limitam apenas a alguns circuitos invariáveis: podem ser realizadas com grande variedade de formas.

Eis um exemplo: em vez de digitar essas palavras no computador, eu poderia muito bem escrevê-las a mão (como fiz com meus três livros anteriores); também poderia ditá-las para serem transcritas mais tarde ou empregar um sistema de reconhecimento da fala; ou não fazer nada além de pensar no que pretendia escrever em outro momento. Cada atividade dessas emprega circuitos cerebrais distintos, grupos de músculos diferentes e métodos próprios de organização e composição. Além disso, dependendo de minha escolha, dirijo inconscientemente o cérebro para que utilize determinados circuitos em lugar de outros. Portanto, o cérebro dispõe de uma plasticidade maravilhosa, pois seus circuitos continuam maleáveis e passíveis de mudança com base na experiência de vida e nas demandas impostas por ela.

Num experimento realizado pelo neurofisiologista Mriganka Sur, do Instituto de Tecnologia de Massachusetts, doninhas recém-nascidas foram submetidas a uma cirurgia na qual os impulsos visuais foram redirecionados para a área auditiva do cérebro, em vez da visual. Em outras palavras, os impulsos originados nos olhos iam para as regiões do cérebro normalmente reservadas àqueles provenientes dos ouvidos.

Poucas semanas depois, os animais processavam a visão nos centros cerebrais em que o som costuma ser processado. Em resumo, as doninhas estavam vendo o mundo com o tecido cerebral destinado originalmente a responder aos sons. A experiência de Sur indica que os chamados "centros" de visão, audição e outras sensações não são predeterminados, podendo ser alterados pela experiência e pela necessidade.

OS CEGOS E AS PESSOAS QUE NÃO CONSEGUEM OUVIR MÚSICA

A leitura em braile é outro exemplo da plasticidade do cérebro. Ao ler em braile, cegos adultos ativam não só o córtex sensorial e motor em áreas relacionadas aos dedos "que lêem" mas também os lobos parietais, temporais e occipitais, nos quais se processa a visão nas pessoas normais. Mais intrigante ainda é que essas mesmas regiões são ativadas em alguém que enxerga quando está criando imagens mentais — ao ver alguma coisa com a imaginação. Com a prática da leitura em braile, um cego modifica o cérebro a tal ponto que a sensação do tato ativa as regiões corticais que normalmente processam a visão. Seus dedos tornam-se de fato seus olhos.

E nem todos os cegos lêem em braile do mesmo jeito. Alguns empregam apenas um dedo, enquanto outros usam três dedos a um só tempo. Essas diferenças de técnica não só influenciam a eficiência (os leitores de braile que utilizam três dedos são melhores nessa atividade que os que empregam apenas um) mas também induzem alterações distintas na organização do cérebro.

"Aqueles que lêem em braile muitas horas por dia e usam vários dedos ao mesmo tempo desenvolvem uma espécie de grande dedo único", compara Thomas Elbert, psicólogo e pesquisador do cérebro da Universidade de Constança, na Alemanha. "Eles fundem as informações provenientes da ponta de dedos diferentes e as enviam ao cérebro por um supercanal."

A fusão dos três dedos origina um fenômeno curioso. O toque de apenas um dedo não consegue provocar a sensação exata de localização que acontece quando uma pessoa que enxerga bem fecha os olhos e alguém toca a ponta de um dos seus dedos. Elbert acredita que isso resulta de uma representação única dos três dedos no cérebro do cego, em vez da sensação distinta para cada um. Em essência, como os três dedos trabalham como uma unidade, o cérebro funde suas sensações. Para ter uma idéia de como isso se dá, tente o experimento apresentado a seguir.

Tire os sapatos e as meias e feche os olhos; então, peça a alguém que toque de leve um dos dedos de seus pés. Em seguida, peça-lhe que toque a ponta de um dos dedos das mãos. Você vai descobrir que é mais fácil identificar o dedo da mão tocado que o artelho. Qual é a razão dessa discrepância? Na verdade são duas. A primeira é que os dedos das mãos têm número maior de fibras nervosas que os dos pés. A segunda é que, como a maior parte do tempo andamos protegidos por calçados, todos os artelhos são estimulados ao mesmo tempo como uma unidade. Por isso o cérebro os representa como uma unidade. Os dedos dos pés não podem ser identificados com facilidade pelo tato e, na maioria dos casos, também não conseguimos movimentá-los em separado. Embora seja fácil mover um dedo das mãos sem mexer os demais, os movimentos individuais dos artelhos são quase impossíveis sem algum treino. Não se trata de algo impossível, mas difícil, e requer esforço particularmente intenso. Contorcionistas, por exemplo, treinam centenas de horas para adquirir habilidade suficiente para usar tanto os dedos das mãos quanto os dos pés para desatar nós.

Há reconfiguração semelhante no cérebro em resposta ao treinamento e ensaios dos músicos que tocam instrumentos de corda. Magnetoencefalogramas revelam reorganização cortical e expansão substanciais das áreas responsáveis pelos dedos da mão esquerda entre esses instrumentistas. Isso acontece porque é necessário um grau maior de destreza da mão esquerda (que controla mudanças de altura) em comparação com a direita (que controla o ritmo e diferenças sutis de pressão).

Às vezes, as reconfigurações na organização cerebral dos músicos resultam em incapacitação, e envolvem a perda de controle de um ou mais dedos, em geral só em uma das mãos. Os dedos ficam parcialmente paralisados e sua postura distorcida, o que os neurologistas chamam de distonia focal. Para um músico profissional, esse quadro pode significar o fim da carreira. Os instrumentistas atribuem a culpa a si mesmos, e concluem que o problema se deve a técnicas defeituosas; mas um estudo recente com scanners magnéticos revelou que a causa está no cérebro, e não nas mãos.

Analisemos um caso. Uma flautista procurou ajuda porque não conseguia mais tocar seu instrumento. Quando o fazia, o quarto e o quinto dedos de sua mão esquerda assumiam rígida postura de garra. Investigando seu problema, os pesquisadores deram tapinhas leves e controlados em seus dedos e repetiram o procedimento com outra flautista que apresentava desempenho normal dos dedos. Enquanto aplicavam os tapinhas, os especialistas mediam os potenciais elétrico e magnético resultantes, chamados de potenciais somatossensoriais. O princípio por trás desse exame é simples.

Pense naquelas ocasiões em que, por acidente, você bateu o cotovelo e teve de imediato uma sensação de formigamento no quarto e no quinto dedos da mão. Essa estimulação envolveu um trauma moderado no ponto em que o nervo ulnal passa por um entalhe no osso do cotovelo em seu trajeto para o quarto e o quinto dedos. No momento do impacto, um impulso do nervo ulnal estimulado desceu para o quarto e o quinto dedos e subiu do cotovelo para a medula espinhal. Depois continuou subindo até chegar à região do cérebro conhecida como córtex somatossensorial.

Toda parte do corpo está representada no córtex somatossensorial, não de acordo com seu tamanho, mas com sua importância na vida cotidiana. Assim, no cérebro de um rato, grande parte do tecido do córtex somatossensorial é reservada para representar os bigodes; no do guaxinim, são as patas e as garras que ocupam uma quantidade desproporcional desse espaço; no do ornitorrinco, o bico se estende pela maior parte do córtex somatossensorial. Nos seres humanos, o rosto e as mãos ocupam muito mais espaço que partes do corpo maiores, como o tronco e as pernas. Essa alocação do espaço cerebral faz sentido por causa da importância que a expressão facial, a fala e o controle motor fino, por meio das mãos e dos dedos, têm em nossa vida. Em geral, o cotovelo desempenha papel secundário no dia-a-dia e, por isso, não temos consciência dele, exceto quando sofremos uma contusão. Esse traumatismo libera o impulso elétrico enviado à pequena área do córtex somatossensorial que representa o cotovelo.

Agora, voltemos às flautistas. Com base no seu entendimento da organização do córtex somatossensorial, os pesquisadores estimularam eletricamente os dedos da flautista saudável e então registraram as alterações no campo magnético da área somatossensorial que representa os dedos. O resultado foi normal. Mas, quando estimularam os dedos da flautista portadora de distonia, os campos magnéticos mostraram-se desorganizados, maiores e com desenhos incoerentes.

O tratamento da distonia faz uso desse conhecimento e, em geral, consiste em restringir o movimento de um ou mais dedos envolvidos no problema. Essa restrição se combina com uma série de exercícios com os dedos normais. Com isso, pretende-se eliminar a representação cortical dos dedos fundidos, típica de quem sofre de distonia. A mudança dos movimentos do dedo do instrumentista converte um padrão disfuncional em outro funcional. Aqui também essa alteração dos circuitos do cérebro é possível graças à sua plasticidade e flexibilidade.

Outras mudanças notáveis na organização cerebral se manifestam nos cegos. Eis um exemplo: sabe-se há muito tempo que os cegos têm uma "percepção de obstáculos" — a capacidade de andar sem trombar em objetos — mais aguçada. Atribuída originalmente à percepção de correntes de ar sutis criadas pela presença do obstáculo e detectadas pela pele do rosto, a capacidade de o cego perceber objetos a várias dezenas de centímetros de distância resulta, na verdade, da sensibilidade maior a estímulos auditivos. Ouvir melhor compensa a perda da visão.

Os indivíduos com visão normal podem desenvolver sensibilidade semelhante. Com treino e esforço, os cegos podem melhorar sua capacidade de evitar obstáculos à medida que o cérebro reconfigura sua organização da visão e do som. Essa reconfiguração pode acontecer num intervalo de tempo curtíssimo para a pessoa normal que está temporariamente privada da visão.

A SUBSTITUIÇÃO SENSORIAL

É provável que o exemplo mais incrível da plasticidade do cérebro seja a *substituição sensorial*, em que a pele ou outra parte do corpo age como um receptor de informações visuais. A substituição sensorial baseia-se numa regra que, embora contrarie a intuição, é essencial para o funcionamento cerebral: enxergamos, ouvimos, sentimos o sabor e o cheiro com o cérebro — e não com os olhos, os ouvidos, as papilas gustativas e o nariz. Pense na visão, por exemplo.

As imagens não são transmitidas como *imagens* ao longo de um trajeto direto do olho ao cérebro. Após passar pelas lentes de seus olhos, as imagens não vão além da retina. Depois dela, o cérebro as transforma em impulsos nervosos. Tais impulsos são indistinguíveis daqueles enviados por qualquer outra parte do corpo. Sabemos que o cérebro funciona como o intérprete final: é ele quem sabe se os impulsos nervosos contêm informações vindas dos olhos ou dos ouvidos. Ele faz isso decodificando os impulsos nervosos provenientes dos olhos e interpretando-os como imagem.

Decodificar e interpretar são atividades que envolvem ênfase. Por se tratar de um órgão intencional, o cérebro procura interpretar o mundo e dar-lhe sentido. Para isso, ele enfatiza alguns aspectos do ambiente ao mesmo tempo em que ignora outros. Por exemplo: neste momento, você se encontra concentrado nas linhas desta página e não está pensando no barulho à volta até *agora*, quando minha alusão aos sons circundantes chama sua atenção para eles. Seu cérebro ignorou esses sons até eu mencioná-los, pois a percepção deles diminui a capacidade de concentração na leitura.

Mas, se soar um alarme, como a sirene do caminhão dos bombeiros, sua atenção passa instantaneamente do livro para o que está acontecendo na rua. Isso ocorre porque, repito, o cérebro é um dispositivo intencional — e não um simples gravador — e pode substituir com facilidade um sentido pelo outro ao tentar interpretar o mundo.

A editora de um de meus livros anteriores forrou seu apartamento com material à prova de som para não ser distraída pelos estímulos das ruas barulhentas de Nova York enquanto lê originais. Agora imagine que certa tarde ela ergue os olhos de seu trabalho e vê, pela janela, um caminhão de bombeiros. Embora não consiga ouvir nada por causa do material de proteção contra ruído instalado no apartamento, a editora pode deduzir, com base nas luzes piscantes do veículo, que deve sair e verificar se a situação lhe oferece perigo. Privada do som das sirenes, ela tem de contar com a visão, e não com a audição, para receber o primeiro aviso de um possível risco. Nesse caso, a visão é menos eficiente, uma vez que o som das sirenes pode ser ouvido muito antes de o caminhão dos bombeiros entrar no campo visual da pessoa. Mas o cérebro trabalhará com as informações de que dispõe, sejam quais forem. Privado do som, ele vai depender da visão (e vice-versa), do tato, do paladar ou do olfato.

"O cérebro consegue aprender a extrair o mesmo conteúdo de séries de impulsos nervosos provenientes de outro órgão sensorial se este estiver enviando informações de um 'olho' substituto, como uma câmera de TV", diz o doutor Paul Bach-y-Rita, do departamento de medicina de reabilitação e engenharia bioquímica da Universidade de Wisconsin-Madison.

Pense no experimento mencionado há pouco no qual as fibras condutoras de informações visuais foram dirigidas para a área auditiva do cérebro. Se esse órgão funcionasse como uma máquina, os impulsos nervosos dos olhos teriam sido percebidos como sons — ou pelo menos seria assim que o cérebro teria tentado interpretá-los. Em vez disso, ele se reorganizou de tal maneira que o córtex auditivo passou a ter circuitos e conexões semelhantes àqueles do córtex visual. Portanto, apesar da nova localização, o cérebro, graças à sua plasticidade, continuou interpretando a série de impulsos nervosos oriundos dos olhos como visuais, e não como informações auditivas.

A plasticidade pode ir mais longe ainda em experiências de substituição sensorial. Bach-y-Rita inventou um aparelho — o sistema de substituição tátil da visão, o SSTV — que permite aos cegos "verem". Para usá-lo, a pessoa cega aprende a controlar uma câmera portátil de tevê, que funciona como um "olho". A imagem da câmera é transformada por computador e transmitida por uma série de estimuladores táteis localizados nas costas. Enquanto a pessoa segura a câmera e a gira para lá e para cá na frente de um objeto desconhecido, pequenas partes da imagem estimulam pontos distintos da superfície da pele. Com a prática, o cego consegue reconhecer o objeto, "vendo-o" por meio da estimulação da pele.

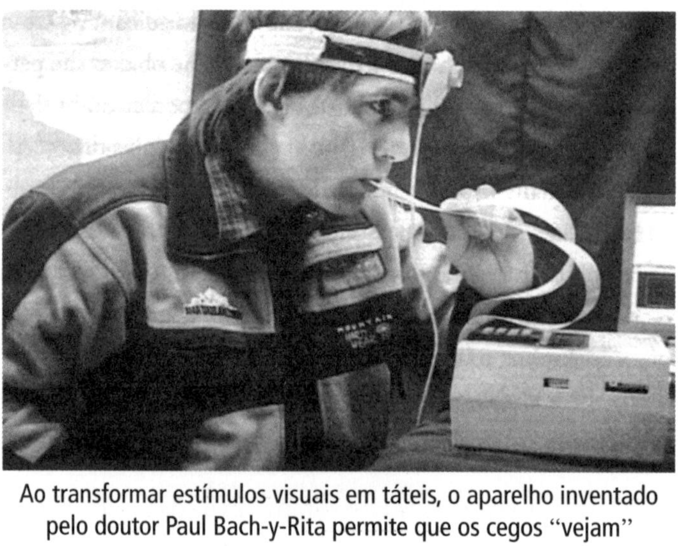

Ao transformar estímulos visuais em táteis, o aparelho inventado pelo doutor Paul Bach-y-Rita permite que os cegos "vejam"

O doutor Bach-y-Rita explica o processo da seguinte forma: "Em nossos estudos de substituição sensorial, a pele serve de superfície receptora para mediar a transmissão de informações captadas pelo receptor artificial (câmera de televisão) para o cérebro. A pele assume o papel de um transmissor das informações provenientes da câmera. Com a prática, o cego aprende a adequar as informações a seu contexto e, com isso, a não confundir aquelas que chegam pela câmera com as relacionadas a sensações normais da pele, como cócegas ou calor".

À primeira vista, o sistema de substituição sensorial de Bach-y-Rita parece bizarro. Na verdade, trata-se apenas de um refinamento daquilo que acontece quando um cego anda com a ajuda de uma bengala comprida. Ao caminhar com a bengala, ele percebe um degrau, uma porta, o meio-fio, uma lata de lixo, uma poça d'água; mas, no processo de percepção, não nota nenhuma sensação vinda da mão ou do braço que controla a bengala. Os objetos reconhecidos por meio da bengala (a lata de lixo, o meio-fio) são percebidos em sua localização espacial correta, e não na mão com os receptores que fornecem as informações táteis iniciais.

Em essência, o cérebro do cego converte em informações espaciais as informações táteis sobre o terreno transmitidas pela bengala para os receptores táteis da mão. Graças a essa substituição sensorial, as sensações de tato são percebidas espacialmente — o caminho está livre ou obstruído (continue andando ou pare), o pavimento segue plano (mantenha a velocidade) ou o meio-fio fica bem à frente (diminua a velocidade e prepare-se para subir ou descer um degrau).

Há outra forma de entender a substituição sensorial: pegue um lápis e escreva uma frase curta que resuma como está o tempo hoje. Para redigi-la, você precisará formar um quadro mental do que se passa lá fora. Enquanto está anotando a tal frase, você permanece concentrado naquele cenário mental — não vai perceber a sensação de pressão exercida pelo lápis contra seus dedos nem o movimento do lápis pelo papel. Isso faz muito sentido, uma vez que a atenção voltada para as condições climáticas torna mais fácil escrever bem e concentrar-se em sua descrição. Bach-y-Rita sugere a seguinte analogia doméstica como explicação do motivo de o cego conseguir usar a superfície da pele como um "olho": "Assim como as pessoas podem ignorar a sensação de pressão do lápis com o qual estão escrevendo, ao mesmo tempo em que se concentram nas palavras sobre o papel, resultantes da pressão feita no lápis, indivíduos cegos podem não perceber as sensações táteis quando estão atentas às informações que chegam por meio da câmera".

A respeito da substituição sensorial, há mais uma questão importante que se aplica tanto ao caso da bengala quanto ao do lápis. O próprio cego tem de usar ativamente a bengala: ninguém pode fazer isso por ele. Quando a informação tátil chega, o cérebro precisa programar uma resposta motora para a pessoa continuar andando, ao mesmo tempo em que mexe a mão e a bengala para a frente (não há obstáculos), ou parar de caminhar e movimentar a bengala para trás (como quando ela bate em uma lata de lixo, por exemplo). Com base no *feedback* sensorial extra, um processo de monitoramento se repete com intervalos de centésimos de segundo, localizando o obstáculo no espaço, por meio da sensação transmitida pela bengala, e então reagindo com instruções para que se avance, permaneça parado ou recue.

Do mesmo modo, você logo vai "perder o rumo" ao escrever a frase sobre o tempo se eu lhe segurar a mão e guiar os movimentos. Enquanto eu estiver controlando sua mão, você não terá idéia do que estou escrevendo, sobretudo se, como parte de nosso experimento informal, você ficar com os olhos fechados. Na verdade, você não conseguirá identificar a frase pelo "toque" nem mesmo se eu lhe disser antes o que vou escrever! Você se lembrará intelectualmente do conteúdo, mas vai encontrar dificuldade para correlacionar cada palavra isolada com os movimentos distintos que faço com sua mão. Teste você mesmo, pedindo a alguém que direcione sua mão ao escrever uma frase.

Tanto o movimento da bengala do cego quanto o do lápis em sua mão requerem uma participação *ativa* para que o cérebro identifique a localização. O cego "vê" o meio-fio à frente porque seu cérebro está ligado à sensação do meio-fio (transmitida pela bengala ao braço e deste para o cérebro) e a combinou com os movimentos musculares usados para tocá-lo com a bengala.

O movimento ativo também é uma necessidade no caso da câmera que permite a substituição sensorial do cego. Enquanto a pele serve de órgão receptor "visual", a câmera móvel de televisão oferece um meio para examinar ativamente o objeto de interesse. E, para a substituição sensorial acontecer, o movimento da câmera tem de estar sob o controle da pessoa o tempo todo. "Na falta de movimentos (de mão e cabeça) controlados pelo indivíduo, não há possibilidade de identificar a localização do objeto visto", diz Bach-y-Rita.

Mais uma maneira de ter uma idéia do processo de substituição sensorial é você se imaginar registrando, com uma pequena câmera portátil de vídeo, a imagem de uma criança quando sopra as velas de seu bolo de aniversário. Você grava a cena de muitas posições, a fim de aumentar sua riqueza visual. Enquanto está gravando, você "vê" a criança e o bolo em sua imaginação por vários ângulos, entra e sai de um *close-up*, mostrando um pano de fundo maior. Embora seus outros sentidos permaneçam ativos, você ignora a maior parte das sensações de tato, gosto, cheiro e sons que está tendo, pois o que realmente lhe interessa é essa imagem visual muito especial. Para facilitar sua captação, você emprega o tato das mãos e os movimentos musculares do pescoço, ombros e mãos a serviço da visão, movendo a câmera para diferentes posições para obter o melhor resultado possível. Uma situação parecida acontece quando o cego está ativamente envolvido com os movimentos da câmera: as sensações que vêm da pele (o componente sensorial) e o movimento muscular (o componente motor) combinam-se no cérebro na forma de uma imagem. O que normalmente seria uma informação *sentida* com a pele agora é *vista*.

O REFINAMENTO DOS APARELHOS DE SUBSTITUIÇÃO SENSORIAL

Os resultados do sistema de Bach-y-Rita permitiram a seus usuários reconhecer rostos e ter a experiência de "ver" imagens sofisticadas o bastante para incluir percepções de perspectiva e profundidade. Mas, apesar desse êxito em transformar informações táteis em visão útil, o emprego de um SSTV mostrou ser mais difícil do que se pensava originalmente. Em primeiro lugar, a estimulação elétrica por meio de receptores táteis é desconfortável e a engrenagem mecânica, pesada e barulhenta, requer muita energia elétrica. Além disso, a "esquisitice" geral do sistema costuma ser desagradável tanto para o usuário quanto para os outros. Seria preciso dispor de uma unidade pequena que chamasse menos atenção e fosse eficiente e esteticamente aceitável.

Bach-y-Rita apareceu com um sistema exatamente assim, que utiliza a língua como interface. A língua é extremamente móvel, com receptores sensoriais localizados na superfície, o que permite uma percepção da estimulação elétrica maior até do que é possível quando se usam áreas sensibilíssimas como a ponta dos dedos.

Para compreender o funcionamento de um sistema baseado na língua, imagine um cego com uma armação de óculos que contém uma câmera de televisão em miniatura, uma fonte de energia à base de bateria e um receptor capaz de transportar a imagem televisionada. Dentro da boca, um aparelhinho segura o receptor e o estimulador eletrotátil, que passa para a língua as informações colhidas pela câmera. Nesse sistema de substituição, a "visão" da imagem da câmera viaja para a língua em vez de ir para uma área na superfície da pele.

Essa máquina com base na língua não precisa limitar-se a cegos ou pessoas incapacitadas fisicamente. Ela tem condições de dar acesso a informações sensoriais importantes que não conseguem chegar ao cérebro por causa da sobrecarga temporária de outro órgão sensorial. Um soldado, por exemplo, poderia ser equipado com um sistema de visão por infravermelho com interface na língua, que funcionaria com mais eficiência do que pôr e tirar óculos para visão por infravermelho à noite. Além disso, as informações visuais atingem o cérebro mais depressa pela língua que pelo olho, por causa do atraso da informação visual que ocorre na retina.

Um piloto equipado com um sistema de substituição sensorial baseado na língua poderia combater a sobrecarga visual "lendo" seus instrumentos com esse órgão, ao mesmo tempo em que manteria os olhos firmemente fixos em outros aspectos do vôo que requerem atenção. Um estudo já em execução explora a possibilidade de usar um sistema como esse para dar informações de navegação a tropas da marinha em missão num submarino. E médicos que trabalham numa sala de cirurgia podem obter informações de tato, pressão e força com o emprego de um sistema com base na língua combinado a aparelhos cirúrgicos minimamente invasivos. Um dispositivo desses poderia até ter aplicação em jogos recreativos se fosse acoplado a um videogame para incluir algo além de sensações visuais e auditivas. Por exemplo: o participante do jogo que simula uma disputa de Grande Prêmio poderia experimentar, pela interface da língua, a sensação de perder o controle numa corrida de carros de Fórmula 1.

"Já que se pode transmitir dados provenientes de qualquer dispositivo que capte e transforme sinais de sensores ambientais, deve ser possível desenvolver sistemas humanísticos de inteligência para aumentar e manipular essas informações sensoriais e permitir uma experiência perceptiva superior", diz Bach-y-Rita, que sugeriu os exemplos hipotéticos descritos acima. Mas, antes de os aparelhos de substituição sensorial passarem a ser de uso corriqueiro, será preciso superar alguns problemas psicológicos.

"O MUNDO PARECE UM LUGAR CHATO"

"Em nossos estudos com adolescentes e adultos cegos de nascença, parece que falta o conteúdo emocional das experiências sensoriais", observa o doutor Bach-y-Rita. "Em geral, eles ficam profundamente frustrados ao explorar o rosto da esposa ou da namorada com sua câmera e descobrir que, embora possam descrever detalhes, não existe conteúdo emocional na imagem."

Em um dos primeiros trabalhos de Bach-y-Rita com o sistema de substituição sensorial com base na pele, dois universitários cegos examinaram, por meio de sua câmera, as páginas centrais da revista *Playboy*. "Apesar de conseguirem descrever detalhes das mulheres nuas, não havia o componente emocional que sabiam (pelas conversas com os colegas de classe que enxergam) que a experiência oferecia aos homens com visão normal", afirma Bach-y-Rita. Qual seria a explicação dessa estranha descoberta?

Um famoso estudo com um cego que recuperou a visão em 1958 após uma cirurgia nos olhos, aos 52 anos, dá uma pista (já escrevi mais detalhadamente sobre esse homem, conhecido como S.B., em meu primeiro livro sobre o cérebro, *The Brain: The Last Frontier* [O Cérebro: a Última Fronteira]). Em resumo, ele perdera a visão com dez meses de idade, por causa de uma infecção nos olhos. A operação realizada mais de meio século depois retirou o tecido da cicatriz resultante da infecção.

Alguns meses após a cirurgia, S.B. estava enxergando suficientemente bem para reconhecer pessoas e coisas à sua volta, dizer a hora depois de um rápido olhar para um relógio de parede e participar de muitas das atividades realizadas por uma pessoa com visão normal.

No entanto, a mudança mais notável foi a dramática deterioração de sua personalidade. Em minha entrevista com o psicólogo Richard Gregory, que estudou o caso, fiquei sabendo que, antes da operação, S.B. era alegre e extrovertido. O cego S.B. tinha andado de motocicleta, saía confiante do meio-fio para entrar num trânsito pesado e até ganhava um salário respeitável como sapateiro. No entanto, vários meses depois que a cirurgia lhe restaurara a visão, esse homem autoconfiante estava reduzido a um recluso solitário que se queixava à mulher e a Gregory de que "o mundo parece um lugar chato". Na maioria das noites, ele nem sequer se dava ao trabalho de acender as luzes da casa; ficava sentado no escuro, em silêncio. Na raiz da depressão de S.B. estava sua incapacidade para passar de toda uma vida na dependência da audição e do tato para o seu recém-adquirido "dom" da visão.

Como nesse caso, os jovens dos experimentos do doutor Paul Bach-y-Rita com a *Playboy* depararam-se com dificuldades emocionais. Era como se as áreas do cérebro responsáveis pelas emoções estivessem desconectadas do canal sensorial visual que lhes faltava. Será que a experiência emocional voltaria depois do uso contínuo do aparelho de substituição sensorial? Até agora, nem Bach-y-Rita nem ninguém obteve resposta a essa pergunta.

A experiência de S.B. sugere que, embora o cérebro mostre grande plasticidade ao longo de toda a existência, talvez existam alguns limites para essa capacidade, principalmente se a privação sensorial começa cedo, quando o órgão passa por sua organização estrutural inicial. Nesse caso, a substituição sensorial pode ser mais eficaz se empregada durante os primeiros anos de vida.

"Sem dúvida, a substituição sensorial iniciada na infância será a mais bem-sucedida de todas", diz Bach-y-Rita. "Um bebê cego precisará de muito pouco treinamento — se é que vai precisar —, e as considerações emocionais serão parte do desenvolvimento da criança. Estamos planejando criar uma chupeta com o sistema completo, que incluirá câmeras, bateria, circuito eletrônico e um visor eletrotátil, tudo minúsculo, embutido lá dentro. A previsão é que os bebês que usarem um aparelho desses irão crescer como crianças 'com visão normal'."

É claro que um bebê cego não chegará a ter a visão normal pelo fato de utilizar um aparelho de substituição sensorial, mas o sistema vai ajudá-lo em seu desenvolvimento sensorial, motor e cognitivo. "O aparelho só seria usado de modo intermitente, uma vez que essa criança também terá de viver como um cego bem-sucedido", ressalta Bach-y-Rita.

O TRADUTOR DE GESTOS

Embora os aparelhos de substituição sensorial ainda não estejam sendo comercializados, as aplicações futuras da técnica prometem tirar todas as vantagens possíveis da plasticidade aparentemente ilimitada do cérebro. Um exemplo é o tradutor de gestos, que transforma a linguagem de sinais dos surdos-mudos num texto mostrado num pequeno visor. É a invenção de Ryan Patterson, de 17 anos, um aluno do ensino médio de Grand Junction, Colorado.

O tradutor de gestos consiste em uma luva de golfe, um pequeno receptor sem fio, um visor e alguns componentes eletrônicos básicos. A luva é equipada com sensores que lêem as posições dos dedos da pessoa muda enquanto ela executa os gestos de sua linguagem. Essas informações são processadas por um programa criado por Patterson que "aprende" as letras individuais por meio de cálculos baseados na distância entre os dedos. Mas, como as mãos das pessoas diferem em tamanho, a linguagem dos surdos-mudos, como qualquer outra, pode variar de uma pessoa para outra. Por esses motivos, o programa tem de aprender o estilo individual da linguagem dos surdos-mudos.

Depois de certa prática, os movimentos dos dedos podem ser traduzidos e mostrados num visor de texto em cerca de um quinto de segundo. Patterson acha que seu tradutor de gestos, assim que esteja um pouco mais refinado, possibilitará que uma pessoa surda ou muda se comunique diretamente com as que ouvem e falam normalmente. Assim, quando um surdo ou um mudo quiser "conversar" com o vendedor de uma loja não mais terá de escrever tudo nem dependerá de um intermediário que fale e conheça sua linguagem. Além disso, o tradutor de gestos poderá ser acoplado a um *pager* digital, o que permitirá ao surdo comunicar-se de forma quase perfeita na maioria das situações.

Outro aparelho de substituição sensorial agora em estágio de protótipo tem por objetivo auxiliar os cirurgiões na recuperação da sensação do tato que muitas vezes perdem ao realizar certas operações. Historicamente, os cirurgiões sempre fizeram suas operações pondo "a mão na massa" diretamente — abrindo uma parte do corpo, chegando ao ponto desejado observando e sentindo o caminho, localizando o órgão doente, pegando nele, apalpando-o, usando instrumentos e grampos para interromper o suprimento de sangue para esse órgão e, por fim, cortando-o. Em cada passo do processo, o operador poderia apalpar diretamente os órgãos. A coordenação entre visão e apalpação era tão refinada em alguns profissionais que eles podiam até prever o diagnóstico patológico.

Por causa de mudanças na técnica cirúrgica, porém, essa ligação entre ver e sentir nem sempre é possível. Muitos procedimentos, como a operação para implantar um marca-passo, são realizados com a ajuda de computadores e robôs. O cirurgião concentra a atenção num monitor ligado a uma câmera de alta resolução no campo operatório, introduzida em uma incisão do tamanho de um confeito.

Enquanto olha para o monitor, o cirurgião manipula um *joystick* para guiar bisturis e tesouras robóticas. Como os robôs não têm tremores nas mãos nem ficam cansados, as operações avançam sem interrupção e levam menos tempo. Mas falta um componente importante: o operador não consegue mais *sentir* diretamente as estruturas do corpo. Em certos casos, essa perda pode trazer conseqüências indesejáveis. Uma massa de pulmão capaz de ser detectada por tomografia pode desaparecer da vista quando o peito é aberto e o órgão entra em colapso. Isso não constituía problema quando os cirurgiões faziam incisões maiores e apalpavam diretamente a área de interesse.

É preciso substituir os dedos apalpadores do médico por algum recurso de bioengenharia. Um aparelho, descrito na primavera de 2002 numa conferência sobre o futuro da cirurgia minimamente invasiva, é uma "ponta de dedo" eletrônica que consiste numa matriz de 64 sensores de pressão. Depois de inserida no campo operatório, a ponta de dedo eletrônica desliza sobre a superfície dos tecidos mostrados no monitor. Quando ela encontra uma massa ou um caroço, uma pressão maior é exercida sobre um ou mais sensores. Em seguida, essa informação é transmitida para uma série de sensores motorizados parecidos com alfinetes e localizados no dedo do cirurgião. Um microprocessador interpreta a pressão detectada por cada sensor no local da operação e transmite essa informação aos alfinetes. E então o cérebro realiza a última substituição sensorial, interpretando a ligação entre o sensor e o alfinete do mesmo modo que faria se o cirurgião estivesse tocando realmente o tecido. Quando estiver aperfeiçoado, esse aparelho de palpação remota dará aos cirurgiões o melhor de dois mundos: a velocidade e a precisão da cirurgia robótica e a sensibilidade só possível quando os tecidos doentes são "sentidos", além de vistos.

"ESTOU VENDO AONDE VOCÊ QUER CHEGAR"

Mesmo que a princípio essas coisas pareçam muito distantes de nossa compreensão do cérebro, a substituição sensorial é um processo inteiramente normal que ocorre o tempo todo. Na verdade, nossa linguagem verbal está cheia de exemplos da predisposição natural do cérebro para substituir uma sensação por outra.

Falamos de gravatas "berrantes" quando sua cor é mais viva do que consideramos apropriado. Algo que uma pessoa diz nos "toca". Tentamos "farejar" o que está acontecendo numa situação social; dizemos que algo "cheira mal" na conduta de um político ou que ela nos "revira o estômago". Essa mistura dos sentidos é exemplificada da maneira mais dramática na *sinestesia*, distúrbio em que se evocam determinadas cores em resposta à visão ou audição de palavras, letras ou dígitos.

Os neurocientistas acham que a sinestesia provavelmente resulte da formação de conexões sinápticas adicionais entre regiões do cérebro muito próximas. Pessoas que apresentam sinestesia muitas vezes atribuem aos números determinada cor: os cincos podem ser vermelhos, e os dois, verdes, ou vice-versa. Essa relação entre cor e número fica menos misteriosa quando você lembra que as partes do cérebro que processam números e cores ficam ao lado uma da outra. Da mesma forma, a região que processa o tato se localiza junto daquela que processa o sabor — uma explanação plausível do título de *The Man Who Tasted Shapes* [O Homem que Sentia o Sabor das Formas], um livro recente sobre sinestesia.

Em vez de representar um fenômeno "estranho" ou "antinatural", a sinestesia é inteiramente normal nos primeiros meses de vida. Os neurocientistas acreditam que os bebês podem experimentar sinestesia entre som e visão nas primeiras semanas depois do nascimento. Mais tarde, a experiência sinestésica desaparece, pela poda (eliminação) da conexão entre os centros visual e auditivo.

"A sinestesia também desempenha um papel na maneira pela qual usamos a linguagem", diz V.S. Ramachandran, professor e diretor do Centro do Cérebro e da Cognição da Universidade da Califórnia, em San Diego. Ramachandran, um especialista internacional em sinestesia, sugeriu-me que a linguagem e até mesmo os alfabetos empregam regras sinestésicas universais. Imagine um alfabeto de duas letras, uma redonda e outra parecida com uma estrela de cinco pontas. Qual delas você acha que poderia ser chamada de "buba" e qual seria chamada de "quiqui"?

"Entre as línguas maternas, 99% das pessoas escolheriam 'buba' para a letra redonda e 'quiqui' para aquela com feitio de estrela, porque a boca faz uma forma arredondada ao dizer 'buba' e, desse modo, imita o contorno da letra; por outro lado, 'quiqui' tem uma extremidade verbal aguçada que lembra as pontas da estrela", explica Ramachandran.

Outra variação fascinante da sinestesia é chamada de *sincinesia*, em que uma parte do corpo imita as ações de outra. Eis um exemplo: os movimentos da língua e dos lábios podem acompanhar movimentos da mão, como quando uma pessoa cerra e descerra os dentes ao usar um par de tesouras ou produz sons de clique enquanto estala os dedos no acompanhamento rítmico de uma música.

Dois princípios parecem estar em ação tanto na sinestesia quanto na substituição sensorial. O primeiro é que, como o cérebro é um órgão dinâmico que reage em questão de milésimos de segundo, uma passagem da visão para a audição, ou da visão para o tato, pode ocorrer rapidamente quando há perda temporária da visão. Além disso, a reação cerebral às percepções varia de acordo com as circunstâncias. As respostas a objetos escuros e opacos são mais rápidas e mais acuradas se a visão for acompanhada de um som grave, e não de um som agudo. E as respostas a objetos claros e brilhantes são mais rápidas se a visão se acompanhar de um som agudo, e não de um som grave. Nos testes psicológicos em que se pede que se associem sons agudos e graves a cores claras ou escuras, a maioria das pessoas relaciona os sons agudos a cores claras e os graves a cores escuras. Existem outras associações entre altura de uma nota musical e leveza, entre altura de uma nota musical e cores claras, entre a maior intensidade de um som e cores claras e entre altura de uma nota musical e formas.

Pense no cérebro como um órgão que sintetiza várias sensações numa totalidade. Ele utiliza um canal sensorial para extrair informações relevantes para outro canal e depois as integra. Os cientistas descrevem esse processo como equiparação de múltiplas modalidades. Por exemplo: um homem que está olhando para um objeto numa tela pode usar as mãos para selecionar um objeto igual entre uma série de outros escondidos de sua vista por uma cortina. Os bebês conseguem realizar esse tipo de distinção, que os adultos fazem diariamente ao enfiar a mão no bolso ou na bolsa para pegar uma moedinha de 25 centavos em lugar de outra de 1 dólar só pelo tato.

Mas existem algumas limitações interessantes na transferência de múltiplas modalidades que revelam muita coisa sobre a organização cerebral. Quando ocorre lesão nos lobos parietais, o cérebro perde a capacidade de reconhecer e transformar uma coisa percebida pelo tato em algo visto. Num dos testes que faço para avaliar a função do lobo parietal, peço ao paciente que feche os olhos enquanto uso um objeto para formar uma letra em sua mão. Se não há lesão parietal, a pessoa não encontra dificuldade em transformar mentalmente uma letra sentida pelo tato em outra observada pelos olhos. Experimente. Peça a alguém que esboce com delicadeza uma letra na palma de sua mão com a ponta de uma caneta enquanto você fecha ou desvia os olhos. Você não vai ter nenhuma dificuldade em identificar rapidamente a letra. Mas em seguida você pode tentar algo mais complicado.

Trace a forma da letra *b* na testa de um amigo. Há grande probabilidade de ele dizer que foi um *d*. Se você desenhar um *b* na nuca de seu amigo, é mais provável que ele acerte. Por que essa diferença? Na maioria dos casos, a pessoa avalia as letras com base no que seria a aparência da letra se ela estivesse sendo vista. Olhando da perspectiva da testa do outro, um *b* parece um *d*. Mas, quando o desenho é feito nas suas costas — num lugar que não se consegue ver diretamente —, existe a tendência de transpor-se mentalmente para a posição da pessoa que está traçando a letra e, por isso, o *b* é identificado.

Para ter uma idéia da diferença, use o dedo indicador para desenhar a letra *b* em sua nuca. Nenhum problema, certo? Parece um *b* e você o "vê" mentalmente como tal. Alguém que esteja ao seu lado verá da mesma forma. Agora trace o *b* em sua testa. A maioria das pessoas vai ver a letra tal como a enxerga de sua perspectiva ao olhar para a frente. Mas, se observada do ponto de vista de alguém que está à sua frente e olhando para a testa, a letra é *d*, e não *b*. Se você ainda tiver dificuldade em compreender o porquê, coloque um pedaço de papel em sua testa e, com caneta ou lápis, escreva realmente a letra *b*. Depois olhe para a letra que você registrou no papel. O que você escreveu como *b* é, na verdade, um *d*. E, se você tentar evitar isso traçando a linha vertical descendente seguida por um pequeno círculo à esquerda, você desenhou um *d*, e não um *b*.

Meu objetivo com esses exercícios é mostrar que há algumas limitações — pequenas, mas fascinantes — à plasticidade da organização do cérebro. Na maioria dos casos, essas limitações não criam nenhum problema de funcionamento.

IMAGINE O PENSAMENTO PURO

Com essas descobertas sobre a plasticidade cerebral, os neurocientistas estão começando a ter uma nova compreensão da capacidade de mudança do cérebro. Em vez de exigir anos, meses ou semanas, parte da organização funcional do cérebro pode mudar em minutos, talvez até mesmo em segundos. Para perceber a capacidade de seu cérebro flutuar entre diferentes estados nervosos, olhe para o desenho da página 169 Embora as informações ópticas que estão entrando em seu cérebro permaneçam constantes, sua interpretação vai sofrer variações. Num momento você vê a estrela na parte de trás da caixa; no momento seguinte, seu cérebro sofre uma mudança na interpretação perceptiva e vê a estrela na parte da frente. Por mais que você tente, não vai conseguir observá-la em ambas as posições ao mesmo tempo — um fenômeno conhecido como bioestabilidade.

Um processo semelhante ocorre nas chamadas experiências de epifania, definidas como a compreensão súbita de uma pessoa ou situação. Por exemplo: um entendimento repentino pode lhe mostrar que alguém que você considerava seu amigo é, na verdade, um rival ou que uma oportunidade comercial aparentemente promissora pode ser vista como uma canoa furada. É claro que você pode acabar descobrindo que esses *insights* eram um equívoco, estando relacionados com uma questão distinta: a capacidade que o cérebro tem de se enganar. O que quero salientar aqui é que esses julgamentos podem ocorrer em questão de segundos. Isso porque o cérebro, quando se depara com situações ambíguas, pode flutuar rapidamente entre estados neurológicos diferentes, às vezes contraditórios ou incompatíveis.

É freqüente não conseguirmos exercer o controle consciente de nossas respostas cerebrais, como mostra a pesquisa experimental que usa a tomografia. Imagine uma situação em que lhe apresento rapidamente uma série de palavras numa tela e solicito que preste atenção somente em certas características delas, em vez de pedir que as leia — se certas letras estão invertidas ou de cabeça para baixo, por exemplo. Apesar de todos os seus esforços para se concentrar nas letras sem ler as palavras, o processo de olhar para elas vai ativar as áreas da linguagem. Os neurocientistas dizem que se trata de uma resposta automática. É provável que exista uma associação no cérebro entre as palavras e a ativação de certas regiões que promovem a mediação de funções relacionadas à linguagem verbal, entre as quais a avaliação do significado. Essa *ativação compulsória* ocorre mesmo quando se faz um esforço deliberado para ignorar o sentido da palavra.

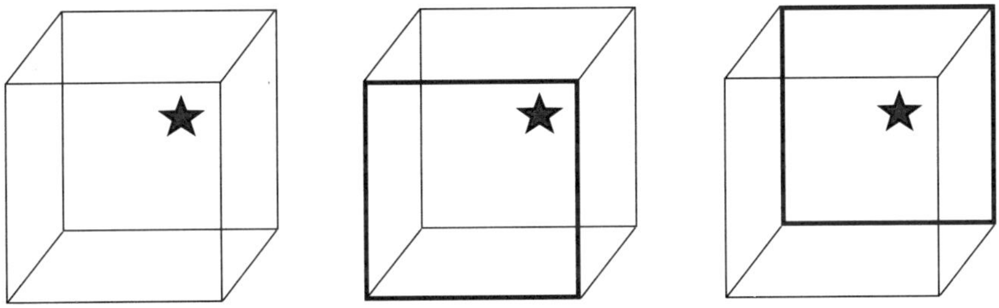

Para ver como o cérebro muda rapidamente sua organização funcional, olhe para a figura e veja como a estrela passa da parte de trás da caixa para a da frente, e vice-versa.

Essa ligação entre as palavras e a ativação das áreas da linguagem verbal faz muito sentido fora do laboratório. Dificilmente se consegue imaginar uma situação em que seria vantajoso olhar para uma palavra e vê-la apenas como uma seqüência de letras. Na verdade, entre os indivíduos que aprenderam a ler, a capacidade de reconhecer as letras, mas não as palavras, só acontece quando há certos tipos de lesão cerebral.

Use a imaginação para ter outro exemplo de ativação compulsória. Imaginar ou visualizar um movimento complexo ou difícil ajuda a melhorar a sua realização, como músicos e atletas podem comprovar. As tomografias revelam que as áreas do cérebro envolvidas nessa imaginação motora circundam as regiões estimuladas quando o movimento é realmente executado. A seqüência se dá mais ou menos como é descrito a seguir.

Primeiramente, são ativadas as áreas responsáveis por planejar o movimento, o que é seguido pela estimulação das regiões motoras apropriadas para realizar a ação. Se forem eliminadas da imagem as áreas ativadas durante a execução do movimento, a tomografia possibilitará ver à atividade cerebral associada ao ato de imaginar um movimento separada daquela ligada a sua realização. "Esses experimentos simples são um exemplo surpreendente de que é possível imaginar a atividade cerebral associada ao 'pensamento puro'", afirma Richard Frackowiak, professor de neurologia do Instituto de Neurologia de Londres.

Em outro experimento fascinante, pesquisadores usaram um magnetoencefalograma (MEG) para comparar a ativação do córtex motor de pianistas com o de pessoas que não tocam piano. Os pianistas dizem que seus dedos se movimentam involuntariamente quando ouvem uma composição musical familiar. As descobertas do MEG não só confirmaram essa declaração como também especificaram com exatidão as áreas do cérebro envolvidas: o córtex do lado oposto ao da mão que toca aquelas notas em particular. O MEG conseguiu distinguir até a atividade cerebral associada a notas tocadas de preferência com o polegar e o mindinho. Um experimento desses revela uma demonstração externa e objetiva de um processo mental interno. Dissolve a fronteira antes bem nítida entre dentro e fora, mental e físico, voluntário e involuntário. Os pianistas dessa pesquisa não desejavam conscientemente fazer os movimentos com os dedos; os movimentos aconteciam independentemente de seu desejo!

Num trabalho científico mais intrigante ainda, cujo objetivo era ler os pensamentos de alguém por meio da observação dos desenhos formados pela ativação cerebral, as pessoas olharam para quadros de rostos ou de paisagens. Depois lhes foi pedido que imaginassem mentalmente os rostos ou as paisagens que tinham acabado de ver. Codificadores de dados (pesquisadores que interpretam dados) conseguiram acertar em 85% das vezes se um participante estava no grupo dos "rostos" ou das "paisagens" só pela análise das imagens obtidas por ressonância magnética. Isso porque partes diferentes do cérebro são ativadas quando olhamos para um rosto ou para uma paisagem (a área fusiforme está relacionada ao rosto e a para-hipocampal, às paisagens).

"Na verdade, podemos saber, momento a momento, no que um indivíduo está pensando; basta medir a atividade cerebral em vez de lhe pedir que nos diga", afirma a neurocientista cognitiva Kathleen O'Craven, que dirigiu o estudo no Hospital Geral de Massachusetts, em Boston. "Um dia desses, vamos ter uma idéia do que uma pessoa é capaz de entender."

O TRIUNFO DA FONÉTICA

Uma via promissora para atingir o objetivo de O'Craven envolve descobertas recentes sobre o cérebro relacionadas à leitura e à escrita. Imagine que você está sozinho, dirigindo seu carro e ouvindo uma fita gravada com o último romance de Stephen King. Quando chega ao escritório, você fica tão intrigado com o que está acontecendo na história que sai furtivamente durante alguns minutos para pegar uma versão escrita do romance e, ao identificar o ponto em que parou de ouvi-la, continua lendo até o fim do capítulo. Embora essa passagem da audição para a leitura ocorra sem dificuldade, seu cérebro processa essas duas atividades de forma bem diversa.

"O cérebro constrói uma mensagem diferente para a leitura e para a audição", diz Marcel Just, professor de psicologia da Universidade Carnegie Mellon. "Ouvir um livro gravado em fita deixa um conjunto de memórias distinto daquele criado pela leitura. Um noticiário ouvido no rádio é processado de maneira diferente do que se daria se as mesmas palavras tivessem sido lidas no jornal."

Just chegou a essa conclusão ao utilizar imagens de ressonância magnética para medir a atividade de 20 mil minúsculas áreas cerebrais, obtidas a intervalos de três segundos uma da outra enquanto uma pessoa lia ou ouvia o mesmo material. Com base nessas medidas, o pesquisador e seus colaboradores criaram mapas visuais coloridos para mostrar as mudanças momento a momento. Surgiram duas surpresas.

A primeira foi que o hemisfério direito não estava tão ativo quanto se esperava durante a leitura — uma sugestão da existência de diferenças qualitativas na compreensão por meio da leitura em contraposição à audição. A segunda foi que ouvir resultou em atividade maior numa região do hemisfério esquerdo chamada *pars triangularis* (a seção triangular). Trata-se de um componente dos setores que processam a fala e a linguagem, batizado de área de Broca em homenagem ao neurologista do século XIX, Paul Broca. Ela também entra em ação sempre que se faz necessário manter a informação verbal na consciência, como quando uma pessoa ouve uma lista dos itens pedidos antes de sair para ir ao supermercado.

As descobertas de Just fazem sentido quando você pensa nas diferenças entre ler e ouvir o mesmo material. A linguagem escrita é mais fácil de processar e de lembrar porque os caracteres que constituem as frases podem ser relidos, se necessário. Por outro lado, a linguagem falada é evanescente, com cada som suspenso no ar apenas durante uma fração de segundo. Por isso, o cérebro tem de armazenar as palavras iniciais da frase falada e depois ligá-las mentalmente às subseqüentes para poder dar sentido ao conjunto. Isso requer o bom funcionamento do circuito de repetição mental (chamado de circuito articulatório-fonológico), que permite à pessoa continuar "ouvindo" mentalmente a primeira parte de uma frase enquanto ouve as demais. Isso é feito pela área de Broca, e explica o aumento de atividade observado nessa região quando alguém ouve em vez de ler.

As observações do estudo com as imagens de ressonância magnética não significam que é melhor ler do que ouvir informações, ou vice-versa. "Depende da pessoa, do conteúdo do material e do objetivo da leitura", diz o professor Just. "Alguns indivíduos têm capacidade maior para a leitura e outros, para a audição e, em geral, preferem a atividade em que se saem melhor sempre que possível. Pode ser que, em razão de sua experiência e aparato biológico, eles se sintam melhor ouvindo ou lendo."

Logo, logo vamos dispor de uma base neurológica para compreender a preferência por ler ou ouvir. Imagens obtidas por ressonância magnética ou outras tecnologias permitirão aos neurocientistas mapear as diferenças individuais que distinguem a facilidade de uma pessoa para a leitura ou para a audição em relação à média. Estudos com imagens de ressonância magnética já lançaram bastante luz sobre o debate antigo e muitas vezes acalorado sobre a forma de ensinar as crianças a ler.

Num dos lados da trincheira estão os que preferem ensinar a palavra toda (também chamada de método de "olhar e dizer"). Um leitor iniciante que aprendeu por esse método olha para os livros e tenta adivinhar o significado de palavras desconhecidas apelando para coisas como o contexto das frases ou o teor das ilustrações. Não há muito empenho em ensinar à criança as relações entre as letras e os sons associados a elas (fonemas). Em vez disso, os defensores da palavra toda acham que os fonemas serão aprendidos automaticamente durante a exposição repetida a histórias interessantes e cativantes.

Por outro lado, o ensino baseado no fonema ensina a criança, desde o começo, a usar seu conhecimento do alfabeto para ler as palavras. Esse método de aprendizagem da leitura enfatiza a correspondência entre os sons falados e as letras que os representam.

Qual dos dois métodos corresponde mais de perto ao que acontece no cérebro durante a leitura? Até pouco tempo atrás, não havia forma de provar conclusivamente que um deles era superior ao outro. Mas estudos recentes com imagens de ressonância magnética mostraram com clareza a superioridade da fonética. Comprovaram que até leitores muito tarimbados pronunciam as palavras sem mover os lábios, sobretudo palavras desconhecidas, enquanto estão lendo. A ativação funcional das áreas dos lábios e da boca, mostradas pelas imagens de ressonância magnética no córtex motor primário, acompanha essa leitura silenciosa.

Além das descobertas no processo de leitura normal, a neurociência também está possibilitando a detecção da dislexia — uma dificuldade persistente em aprender a ler palavras — em suas fases iniciais. A dislexia afeta de 5% a 10% das crianças em idade escolar e persiste com freqüência até a vida adulta. Esse distúrbio representa mais que uma simples dificuldade de leitura. O disléxico sofre de falhas no que se conhece como competência fonológica, o que significa que tem problema para reconhecer e nomear rapidamente objetos e números. Ele também pode não conseguir manter na memória, por tempo suficiente, uma palavra para ligar o início e o fim da frase.

Os disléxicos incorporam novas palavras ao vocabulário mais lentamente, e o aprendizado de uma língua estrangeira se torna verdadeira agonia. Mesmo ao ler palavras simples, a menor capacidade fonológica coexiste com uma ativação anormal do cérebro. Segundo um especialista no distúrbio, "o cérebro disléxico não é capaz de estabelecer conexões entre a visão, o som e o significado de uma palavra de modo tão eficiente quanto os outros cérebros".

Embora por definição os disléxicos demonstrem problemas na capacidade de leitura, às vezes é difícil distinguir um disléxico de alguém que apenas lê devagar. Por esse motivo, as dificuldades para ler, sozinhas, nem sempre representam sintomas confiáveis do distúrbio. Por isso, os neurocientistas concentraram-se na obtenção de imagens do cérebro durante a leitura. Com a utilização de imagens de ressonância magnética, descobriram nos disléxicos tipos anormais de atividade cerebral, principalmente no hemisfério esquerdo e, em particular, nos lobos temporais, parietais e frontais inferiores.

Ao escrever estas palavras, tenho diante de mim os perfis de ativação cerebral de oito crianças gravemente disléxicas realizados enquanto elas tentavam concluir se duas pseudopalavras — como "iote" e "uoute" — rimavam. Em caso afirmativo, as crianças levantavam o dedo indicador; do contrário, elas não faziam nada. Os perfis consistiam em imagens coloridas obtidas por ressonância de fonte magnética (IFM), que mede diretamente as correntes elétricas dos aglomerados de neurônios durante a leitura e fornece um mapa espaço-temporal da atividade do cérebro em tempo real.

Os perfis mostram a atividade cerebral antes e após oitenta horas de instrução intensiva de reforço de leitura, com desenhos que indicam estimulação de ambos os hemisférios do cérebro de crianças disléxicas. Em todos os oito, as áreas têmporo-parietais do lado esquerdo mostram atividade menor em comparação às dos perfis de crianças que lêem sem dificuldade. Mas, naqueles realizados depois de oitenta horas de treinamento de leitura, a ativação têmporo-parietal esquerda está normal.

"Essas descobertas sugerem que o déficit da organização funcional do cérebro responsável pela dislexia pode ser revertido depois de uma intervenção intensa com duração de apenas dois meses", dizem os médicos que realizaram os estudos no Centro de Ciência da Saúde, na Universidade do Texas, em Houston. As pesquisas, porém, mostram algo mais empolgante ainda.

"Parece que, apesar de ter uma base neurológica passível de ser demonstrada, a dislexia não é doença neurológica. O mais provável é que as dificuldades de leitura de palavras representem variações do desenvolvimento normal, reversíveis por meio de uma intervenção de leitura voltada para o processamento fonológico e a capacidade de decodificação", afirmam os pesquisadores de Houston.

Em síntese, programas de reforço de leitura podem reverter a dislexia, desde que seu alvo seja o problema subjacente — a dificuldade do disléxico em entender a correspondência entre as letras e os fonemas. Essa abordagem, conhecida como princípio alfabético, constitui a estrutura dos programas de ensino voltados para o desenvolvimento da capacidade de decodificar fonemas.

"Quando há uma intervenção bem-sucedida, nosso estudo sugere que os sistemas nervosos são alterados, e estes são muito mais plásticos do que se pensava antes", concluíram os médicos.

Embora defendam programas de reforço de leitura há muito tempo como forma de corrigir a dislexia, os professores não tinham uma demonstração científica de que essa medida alterava o cérebro. Agora, graças ao estudo com imagens de fonte magnética, eles dispõem dessa prova. O mais impressionante é que o trabalho mostra que, na verdade, a "anormalidade" do cérebro pode ser uma variação do cérebro normal, e não algo permanente e imutável.

Basicamente, agora o objetivo é empregar as técnicas de obtenção de imagens cerebrais para ilustrar, em quadros vívidos, o funcionamento do cérebro humano, até agora invisível. No processo de desenvolvimento dessas técnicas, os neurocientistas estão fazendo descobertas fundamentais sobre quem somos e o que fazemos.

Capítulo 9

O NOVO CÉREBRO

Neste último capítulo, quero olhar para o futuro e mencionar algumas aplicações da neurociência que provavelmente se concretizarão durante a próxima década. Muitos desses avanços vão se basear em novos progressos de obtenção de imagens do cérebro.

Nos próximos anos, vamos conseguir estudar o funcionamento do cérebro em "tempo real", uma vez que as tecnologias de obtenção de imagens fornecem mensurações momento a momento do que está acontecendo no interior da cabeça. Essas tecnologias prometem revelar os processos cerebrais subjacentes ao aprendizado, à linguagem, à experiência emocional e ao pensamento. Aqui estão algumas das tecnologias de obtenção de imagens do cérebro criadas recentemente que já conseguem realizar essas promessas.

A magnetoencefalografia registra os campos magnéticos produzidos pelo cérebro humano. Eles são extremamente pequenos, quase um bilhão de vezes menores que os campos magnéticos gerados pela Terra e por outras fontes magnéticas ambientais.

Além de registrar a atividade magnética inerente ao cérebro, os neurocientistas também podem usar ímãs para alterar a função cerebral, por meio de algo conhecido como estimulação magnética transcraniana

(EMT). Esse método influencia os campos magnéticos dos neurônios tanto no ponto da estimulação quanto a certa distância. Por exemplo: a estimulação repetitiva de alta freqüência (rEMT) — definida como a estimulação correspondente a mais de cinco pulsos magnéticos por segundo — aumenta a excitabilidade do córtex cerebral e constitui tratamento promissor para a depressão.

A rEMT de baixa freqüência, estimulação de aproximadamente um pulso por segundo, diminui a excitabilidade cortical e, por isso, pode se mostrar eficaz numa doença marcada pela hiperexcitabilidade cortical, como a epilepsia e a alucinação auditiva associada à esquizofrenia.

Já se comprovou que a EMT é eficaz no sentido de aumentar a agilidade mental e o tempo de resposta de uma pessoa normal. Num experimento, o neurocientista cognitivo Jordan Grafman testou a capacidade de alguns voluntários para resolver problemas de analogia geométrica. Depois de lhes ser apresentado um conjunto de formas geométricas, eles tinham de escolher um desenho análogo com o emprego de outras coleções de formatos. Enquanto os voluntários realizavam esses testes, houve aumento de atividade em partes de seus lobos pré-frontais (e também em algumas outras áreas). Grafman descobriu que, depois de aplicar rEMTs às áreas pré-frontais, essas pessoas resolviam os problemas de analogia geométrica mais depressa, mas não houve melhora quando ele submeteu à rEMTs outras regiões do cérebro, nem quando apenas fingiu estimular os lobos pré-frontais.

Embora Grafman não saiba exatamente por que a rEMT aplicada aos lobos pré-frontais dá certo, ele acredita que ela aumente o nível geral de atividade até o ponto em que os neurônios pré-frontais tenham mais facilidade de apresentar uma estratégia de resolução de problemas. Ou então, que a estimulação pré-frontal talvez simplesmente aumente a concentração e o foco. Seja como for, a rEMT pode ser eficaz para indivíduos em situações de limitação séria de tempo, como um piloto de avião diante de uma emergência ou um neurocirurgião perante um dilema cirúrgico particularmente difícil. A auto-ativação de um breve "surto" de rEMT pode salvar vidas em ambos os casos. A estimulação de alta freqüência também pode acelerar a reabilitação depois de lesões cerebrais.

O Atlas Dinâmico do Cérebro é outra maravilhosa tecnologia do futuro. Criado por cientistas do King's College London, da Faculdade Imperial de Ciência, Tecnologia e Medicina, em Londres, e da Universidade Oxford, o atlas oferece um retrato individualizado do cérebro de uma pessoa, muito mais preciso e sofisticado que qualquer outro disponível. Após introduzir os dados relativos às imagens do cérebro de um indivíduo num computador em rede, o médico pode compará-las com as de um atlas dinâmico personalizado para seu paciente.

De forma bem parecida, com uma busca na internet o médico fornece informações específicas sobre o paciente, como idade, sexo e estado geral de saúde. Depois disso, os computadores do mundo inteiro selecionam imagens do cérebro de pessoas com características semelhantes. Em seguida, a imagem do cérebro do paciente é confrontada com as de um atlas cerebral personalizado que contém o leque de tamanhos e formas normais baseado em imagens do cérebro de milhares de pessoas semelhantes.

"Usa-se o poder do computador para cotejar todas as imagens de referência, a fim de criar esse atlas cerebral personalizado", diz Derek Hill, radiologista do King's College. "Depois de alguns segundos, o médico pode ver as imagens do paciente ao lado das do atlas ou então sobrepor as imagens do atlas às do paciente e, desse modo, localizar aquelas regiões do cérebro que são anormais."

Até agora, o Atlas Dinâmico do Cérebro vem sendo empregado para identificar anormalidades cerebrais sutis que estão além da capacidade de tecnologias mais convencionais, como a ressonância magnética e a ressonância magnética funcional. Essa técnica, ou algo parecido, talvez possa ser utilizada para comparar um cérebro específico com imagens derivadas do atlas de outros cérebros normais, obtidas de pessoas da mesma idade, sexo e ambiente.

Antes do desenvolvimento de ferramentas como o Atlas Dinâmico do Cérebro, os neurocientistas não tinham como comparar imagens de um cérebro individual com as de um grande número de outras pessoas oriundas de ambiente parecido. Mas, no futuro próximo, eles terão à disposição imagens de milhões de cérebros e poderão usar essas informações para preparar um "mapa" personalizado de qualquer indivíduo.

Sabemos que não existem dois cérebros exatamente iguais — nem mesmo de gêmeos idênticos, que possuem os mesmos genes. Mas até agora não havia como demonstrar essas diferenças. Um atlas vai mostrar características identificadoras de nosso cérebro que são mais particulares que nossas impressões digitais.

O CÉREBRO MUDA DURANTE A VIDA TODA

O cérebro não difere só de pessoa para pessoa; ele também difere na mesma pessoa durante os estágios da vida, como de bebê, criança, adolescente, adulto e velho. Seu cérebro de bebê era bem diferente do seu de adulto no momento em que lê este livro (descrevo as mudanças pelas quais o órgão passa durante suas etapas de desenvolvimento num livro anterior, *The Secret Life of the Brain* [A Vida Secreta do Cérebro]). Graças às imagens de ressonância magnética funcional, é possível agora observar as diferenças de funcionamento cerebral quando indivíduos de várias idades realizam as mesmas ações.

A pesquisa recente revela que o cérebro dos adultos e o das crianças em idade escolar empregam circuitos diferentes ao processar palavras isoladas. Num estudo, pesquisadores da Universidade Washington em Saint Louis compararam as alterações cerebrais num grupo de crianças de 7 a 10 anos com as verificadas em um grupo de adultos. Pediu-se a ambos que dissessem uma palavra que rimasse com determinado termo ou que fosse seu oposto — os participantes deviam responder "baixo" se lhes fosse apresentada a palavra "alto", por exemplo. Pensando em fazer justiça tanto às crianças quanto aos adultos, os pesquisadores selecionaram palavras de uma lista de vocabulário do ensino fundamental.

Embora as crianças e os adultos tenham se saído igualmente bem, as imagens obtidas por ressonância magnética funcional mostraram diferenças em duas áreas do cérebro: a região frontal esquerda e uma área na borda da área visual primária do córtex esquerdo. A região extravisual mostrou atividade mais intensa nas crianças; a área frontal esquerda mostrou mais atividade nos adultos. Em resumo, o cérebro de crianças e o de adultos processam a linguagem com o emprego de circuitos distintos. À medida que a criança se desenvolve, passa para o circuito adulto. No momento, ninguém sabe quando isso acontece. Mas devemos estar prestes a conseguir a resposta a essa questão, pois as imagens de ressonância magnética funcional, diferentemente das tomografias e outras tecnologias que requerem isótopos ou raios X, podem ser obtidas muitas e muitas vezes com segurança.

Esse trabalho é característico do tipo de pesquisa que podemos esperar para a próxima década, enquanto procuramos entender como o cérebro muda durante a vida.

A TRANSFORMAÇÃO DO PENSAMENTO EM MOVIMENTO — SEM O CORPO

Considerações éticas impedem um estudo direto do cérebro que implique expor voluntários humanos aos riscos inerentes à abertura do crânio. Mas, certo ou errado, atualmente existem limitações menos rigorosas para os neurocientistas que trabalham com animais.

Num experimento típico, introduz-se um eletrodo ligado a um gravador no cérebro de um macaco até as proximidades de um pequeno grupo de neurônios. Depois, uma imagem ou um som é apresentado ao animal, e faz-se uma gravação da atividade daqueles neurônios estimulados em rápida resposta ao sinal visual ou auditivo. Em seguida, seleciona-se um dos neurônios, e sua atividade é gravada quando ele responde à estimulação repetida produzida pelo som ou pela imagem. As gravações fornecem aos pesquisadores um retrato de milésimo a milésimo de segundo da velocidade de ativação do neurônio. O fato mais importante observado é que elas mudam de acordo com o estado psicológico do macaco.

Se o animal for treinado para dirigir sua atenção para o estímulo sonoro, a ativação da célula da área auditiva será maior. Se a atenção for voltada para outro estímulo (luz em vez de som), a velocidade de ativação da célula auditiva diminuirá. Ou seja, prestar atenção amplifica a atividade daquelas células cerebrais destinadas a analisar determinado estímulo. Um processo semelhante ocorre em nosso cérebro. Por exemplo: olhar para uma palavra na tela do computador ativa nossa área visual. Mas se, em vez de apenas olhar a palavra, tentamos pensar nos usos que ela pode ter ou procuramos responder com outra palavra, outras regiões são ativadas, principalmente o córtex cingulado anterior e o córtex parietal. Está comprovado que essas áreas são importantes nas tarefas que requerem atenção e concentração.

Enquanto você lê este livro, sua atenção varia de momento a momento, dependendo de seu interesse e de sua familiaridade com o assunto. Quanto mais interessado você estiver, tanto mais sua atenção ficará "presa" e tanto mais ativados serão seu córtex parietal e seu córtex cingulado anterior. Se você encontra algo que o atrai particularmente, essas estruturas chegam ao auge de sua atividade. Na verdade, uma tomografia ou uma imagem obtida de seu cérebro por ressonância magnética funcional enquanto você está lendo vão indicar a magnitude de sua motivação e interesse em continuar lendo. Essas conexões entre processos psicológicos e ativação cerebral estão permitindo fazer algumas correlações fascinantes.

Considere o que sucede quando você chega ao fim da página e passa para a seguinte. Seu córtex pré-frontal, combinado a uma rede de neurônios muito bem distribuída por todo o cérebro, traça instantaneamente um "modelo" da situação que inclui fatores como a distância a que sua mão está da página, o movimento que você tem de fazer com os dedos, a quantidade exata de pressão e força necessárias para virar a página etc. Gravações do que está acontecendo em seu cérebro mostrariam um aumento da atividade elétrica e metabólica (uso de glicose, açúcar e oxigênio) nas células responsáveis pelos movimentos.

Agora imagine que você só está olhando para a página ao mesmo tempo em que *pensa* em virá-la. Muitas das mesmas áreas cerebrais vão ser ativadas, com exceção daquelas responsáveis pelo movimento muscular propriamente dito. Em outras palavras, o cérebro prepara o movimento muscular milésimos de segundo antes de ele acontecer de fato. Formula um "programa motor" do movimento com base numa representação desse movimento criada principalmente nos cortices frontal e pré-frontal. A partir de então, o programa é transferido para o córtex motor, no qual os movimentos são concretizados. Recentemente, alguns pesquisadores identificaram áreas do córtex motor responsáveis pelo planejamento dos movimentos musculares envolvidos nas ações.

Num experimento, uma série de cem eletrodos em miniatura, que juntos têm o tamanho de uma unha, foi implantada no córtex motor de um macaco. Efetuaram-se gravações da atividade do córtex motor enquanto o animal brincava com um fliperama, manipulando um *joystick*. Em seguida, os sinais gravados foram usados para criar um programa que compara a velocidade da ativação elétrica dos neurônios motores com as trajetórias resultantes do braço do macaco enquanto ele movimentava o *joystick*. Após dezenas de tentativas feitas durante vários meses, com suco de laranja oferecido como recompensa por bom desempenho, o macaco aprende a mexer o cursor só com o pensamento.

"Você estabeleceu contato com uma área do cérebro que está concebendo onde você quer pôr a mão", diz John P. Donoghue, professor de neurociência que dirige a pesquisa na Universidade Brown em Providence, Rhode Island. Segundo Donoghue, só são necessários uns poucos minutos de gravação para criar um modelo que consegue interpretar os sinais do cérebro que determinam movimentos específicos.

O córtex motor não é a única área que atua como fonte de instruções de movimentos controlados. Daniella Meeker, do Instituto de Tecnologia da Califórnia, em Pasadena, ensinou macacos a movimentar um cursor numa tela de computador ativando o córtex parietal. Meeker começou encontrando um pequeno aglomerado de células — às vezes apenas dezesseis — no córtex parietal que se tornam ativas pouco antes de o macaco conseguir movimentar o cursor. Então, ela implantou eletrodos sensíveis no córtex parietal do animal depois que ele aprendeu a brincar com um videogame simples que envolve o uso das mãos para indicar pontos numa tela de computador sensível ao toque.

"Assim que o macaco tenha conseguido realizar sua tarefa várias vezes, existem condições de determinar, para um neurônio em particular, os diferentes tipos de atividade elétrica quando o animal planeja tomar direções diferentes", diz Meeker.

Em seguida, a cientista treinou o macaco para não mover a mão, só "pensar" em fazer isso. Um programa de computador ligado aos eletrodos implantados no animal foi a base para acompanhar o pensamento do macaco, identificando aumentos de atividade nos neurônios parietais. Na seqüência, o computador move o cursor na tela na direção em que o macaco o teria feito se estivesse usando a mão. "A mudança da atividade elétrica do cérebro indica que o macaco está planejando tocar a tela", explica a pesquisadora.

De acordo com Meeker, depois de alguma prática o animal se mostra relutante em mexer o braço ou a mão quando o cursor é introduzido no jogo. Ele prefere movimentar o cursor só com o pensamento.

Será que esse tipo de programa daria certo com seres humanos? A resposta é um sim retumbante. Numa aplicação atual, Philip Kennedy, diretor da Neural Signals, companhia de pesquisa e desenvolvimento de produtos de Atlanta, está treinando um homem paralítico para mover o cursor numa tela de computador só pensando em fazer isso. Aplicações futuras podem envolver a substituição do cursor por um braço robótico que realiza determinadas instruções para fazer o trabalho de um braço de carne e osso. Esses progressos podem ser facilitados pelo implante de chips diretamente no cérebro, que assim liberariam a pessoa da necessidade de manter uma ligação constante com uma máquina.

O RATO-ROBÔ

Atualmente, os neurocientistas estão explorando as fronteiras das interações cérebro-máquina em animais. O rato é um exemplo particularmente interessante — uma criatura que, desde a aurora da civilização, todos aprenderam a temer e odiar.

Uma pessoa que não odeia nem teme os ratos é John K. Chapin, fisiologista do Centro Médico Downstate da Universidade Estadual de Nova York, no Brooklyn. Em maio de 2002, Chapin anunciou na revista *Nature* a chegada do primeiro robô vivo operado por controle remoto — um rato equipado com uma mochila minúscula que contém uma antena para receber sinais de rádio, um pequeno microprocessador que libera pulsos elétricos em seu cérebro e uma câmera de vídeo em miniatura para fornecer o equivalente à visão de mundo pelos olhos de um rato.

Quer você acredite ou não que a humanidade ganha com o advento do rato-robô, não há como deixar de admirar a inventividade e a originalidade de Chapin. Ele implantou três fios no cérebro do rato. Dois deles estimulam áreas que detectam as sensações de tato dos bigodes, tanto do lado direito quanto do esquerdo. O terceiro fio entra no centro de prazer, conhecido como feixe medial do cérebro anterior (FMCA).

Chapin e seus colaboradores treinaram alguns ratos para se virarem para o lado de onde vem a estimulação elétrica, recompensando-os com uma vibração no centro de prazer quando eles fazem a escolha certa. Depois de apenas dez dias desse condicionamento, os animais conseguiam seguir seu caminho praticamente por qualquer paisagem dentro da esfera de ação do radiotransmissor (500 metros) em resposta às instruções de um técnico dadas num computador portátil. Eles mantinham a rota até quando tinham de superar obstáculos, como subir ou descer um lance de escada, cruzar uma ponte estreita, passar por baixo de um arco ou por um declive íngreme.

Apesar das afirmações de que criaturas híbridas poderiam ser usadas em missões de resgate, eu duvido muito que essa tecnologia nascida do "encontro do doutor Frankestein com o doutor Strangelove" venha a ter alguma utilidade prática num futuro próximo. Imagine-se preso sob escombros à espera da chegada de seu salvador. Você preferiria encontrar-se com um são-bernardo, com seu tradicional barrilzinho de conhaque em volta do pescoço, ou com um rato esquisito com todo aquele aparato tecnológico abrindo caminho até você no escuro, com a ajuda de suas garras?

A PREVISÃO DO COMPORTAMENTO HUMANO

Nos próximos anos, espere descobertas cada vez mais freqüentes sobre as contribuições genéticas a determinadas capacidades cognitivas, como inteligência, atenção, memória, linguagem e desempenho físico. Essa nova fronteira da pesquisa do cérebro vai se basear no que os geneticistas chamam de polimorfismos — uma ou mais variações de um gene que causam uma diferença num único aminoácido codificado num ponto do gene. E, às vezes, a variação de um único aminoácido pode fazer diferença em termos práticos. Por exemplo: se você gosta de comida indiana, mas seu cônjuge não, essa distinção pode resultar da diferença de apenas um aminoácido. Como você tem um alelo (o termo técnico usado para designar essas variações), aprecia comida condimentada; se tivesse outro, talvez achasse que os temperos picantes "queimam" sua língua. Por vezes, diferenças de alelo acarretam conseqüências menos triviais.

A enzima catecol *O*-metiltransferase (COMT), que decompõe o neurotransmissor dopamina em seus componentes químicos, existe em duas formas. Uma delas contém o aminoácido metionina, enquanto a outra apresenta o aminoácido valina. Há conseqüências práticas para o fato de a COMT de uma pessoa possuir um alelo para metionina ou para valina. O portador de alelo para metionina se sai muito melhor num teste de funcionamento do lobo frontal que alguém com o alelo para valina. Portanto, saber se a COMT de uma pessoa tem alelo para metionina ou para valina oferece uma base para prever sua performance numa avaliação do lobo frontal.

É claro que diferenças polimórficas só permitem previsões limitadas sobre o desempenho geral de uma pessoa, porque muitos genes e muitos alelos diferentes são responsáveis pela maioria dos aspectos de nossa conduta e funcionamento psicológico e cognitivo. Então, se alguém anunciar a descoberta de um "gene da inteligência", não acredite. Mas haverá possibilidade de traçar perfis mais amplos e mais marcantes de nossa personalidade. Richard Davidson, psicólogo da Universidade de Wisconsin-Madison, dá um exemplo do que esperar em termos de temperamento.

Davidson observou que, entre bebês de até dez meses, a resposta a uma separação forçada da mãe está relacionada à atividade das regiões pré-frontais. Os bebês que choram ou ficam nervosos mostram atividade maior na região pré-frontal direita se comparados aos que não ficam tão irritados. Isso também se aplica a adultos. Quando vêem filmes com situações positivas e negativas (uma festa em contraposição a uma cena de combate), os adultos com atividade maior na área pré-frontal direita têm mais probabilidade de manifestar emoções desagradáveis do que os que apresentam atividade do lado esquerdo, o que expressa tipicamente uma visão de mundo otimista, alegre.

Pessoas alegres e extrovertidas também revelam uma atividade distinta nas amígdalas quando se deparam com um rosto sorridente. Na verdade, o grau de extroversão está diretamente relacionado à magnitude da atividade das amígdalas. No entanto, ao toparem com um rosto assustador ou zangado, os extrovertidos e os introvertidos reagem da mesma forma, o que faz muito sentido, é evidente. A autopreservação requer que todos nós nos mantenhamos sensíveis à hostilidade e ao medo alheios. Mas essa tendência pode ter se desenvolvido exageradamente, como no caso de crianças que sofreram abusos e reagem a expressões de leve irritação ou mesmo a expressões ambíguas. Sabemos disso por causa da pesquisa do psicólogo Seth Pollak, que também trabalha na Universidade de Wisconsin-Madison.

Em seu Laboratório de Pesquisa da Emoção Infantil, pede-se a crianças com histórico de abuso que olhem para uma série de fotos, que foram modificadas digitalmente e mostram diversas montagens de expressões faciais, que vão de alegres a assustadas, de alegres a tristes, de irritadas a assustadas e de irritadas a tristes. Embora alguns rostos revelem uma única emoção, a maioria deles exprime a mistura de duas delas.

As reações, tanto de crianças que sofreram abusos quanto das outras, não diferiram quando elas interpretaram expressões em que predominam a alegria, a tristeza ou o medo. Mas as crianças maltratadas tenderam a identificar um número maior de rostos com sinais de raiva, em comparação com os outros sentimentos. Uma expressão composta de 60% de medo e 40% de raiva tendeu a ser interpretada por essas crianças como se demonstrasse somente raiva.

"Pode ser que as crianças submetidas a maus-tratos físicos desenvolvam percepção maior da raiva porque constitui uma adaptação vantajosa para elas notarem quando os adultos estão irritados", sugere Pollak.

Por outro lado, a sensibilidade a expressões faciais de alegria não está tão diretamente ligada à sobrevivência e, por isso, tende a variar de acordo com traços de personalidade, como extroversão e introversão. Infelizmente, essa explanação não ajuda em nada na hora de resolver a versão neurocientífica do problema da galinha e do ovo. O que vem primeiro? A característica temperamental de extroversão, combinada, por razões desconhecidas, com uma amígdala que reage prontamente à alegria dos outros? Ou será que aqui a chave é a amígdala responsiva, da qual a extroversão é apenas conseqüência?

Num futuro próximo, conte com o surgimento de tecnologias novas e fáceis de usar para avaliar capacidades cognitivas isoladas. Por exemplo: muitas pessoas inteiramente normais acham cada vez mais difícil ignorar as distrações. Em termos técnicos, demonstram aquilo que os neurocientistas chamam de déficit da "seletividade sensorial". Pense no seu cérebro como se fosse um guardião que avalia a todo momento a relevância do que está acontecendo à sua volta à luz de seus objetivos e atividades correntes. Enquanto você lê esta frase, seu cérebro está atuando como um guardião para filtrar o barulho e as distrações de segundo plano. Mas nem todos os guardiães são eficientes.

Respostas sensoriais da primeira infância também podem ser usadas para prever a probabilidade de o comportamento de um filho ser parecido com o dos pais. Apesar de nem todas as crianças de uma família de alcoólatras acabarem dependentes de bebida, um número muito grande se torna presa do problema, a ponto de os neurocientistas estarem procurando há muito tempo um exame que ajude a identificar aquelas que correm maior risco genético. Esse teste já existe.

No gráfico da página 190, observe a onda chamada P3. Essa curva ascendente, positiva, ocorre aproximadamente 300 milésimos de segundo depois que o voluntário ouve um som. A amplitude, ou altura, de P3 reflete a quantidade de informações processadas, enquanto a latência (o tempo necessário para P3 ocorrer) indica a velocidade do processamento. Uma latência maior de P3 indica morosidade na atenção ou na avaliação do estímulo, ao passo que uma redução na amplitude se associa a menor capacidade de atenção. Tanto a amplitude quanto a latência diferem bastante em crianças que correm risco de se tornar alcoólatras, se comparadas às que não estão sujeitas a esse perigo. Na verdade, olhando para as respostas de P3, um médico consegue distinguir entre adultos filhos de alcoólatras e pessoas que vêm de famílias sem esse problema. Embora as variações na latência e na amplitude de P3 não permitam afirmar se *determinado* indivíduo será um alcoólatra, o teste pode servir de indicador de vulnerabilidade. Aqueles com P3s anormais devem ser incentivados a se abster de álcool ou, no mínimo, a moderar o consumo de bebida.

A pesquisa de P3 sublinha uma questão importante, que enfatizei ao longo de todo este livro. Na próxima década, podemos esperar testes que dêem informações importantes sobre a memória, a linguagem e outros aspectos do funcionamento cognitivo dos seres humanos. Além disso, esses exames vão ajudar a dar uma base racional para selecionar as melhores pessoas para enfrentar desafios específicos. A título de exemplo: indivíduos com latência maior e amplitude menor de P3 provavelmente não devem se envolver em ocupações como controle de tráfego aéreo, que requer a análise imediata de grandes quantidades de dados e decisões rápidas.

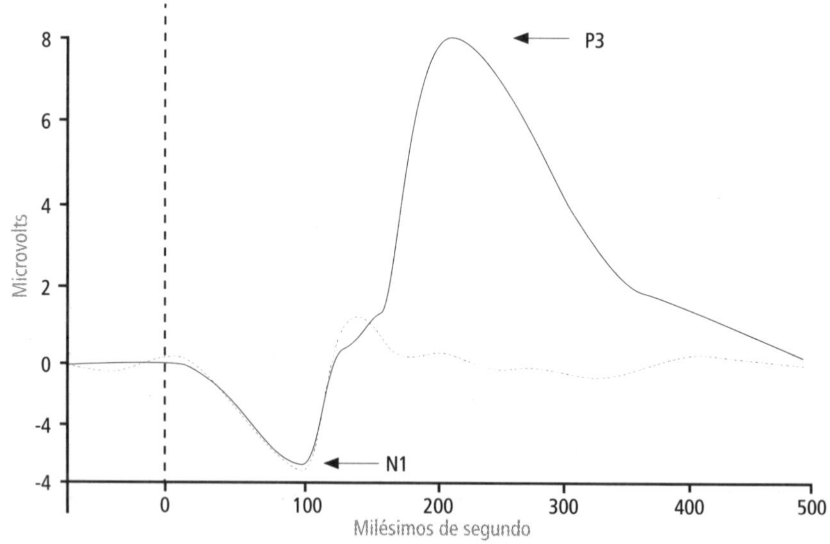

A altura e o comprimento da onda P3 deste diagrama podem mostrar que pessoas correm o risco de se tornar alcoólatras

OS COMPUTADORES VÃO TER CONDIÇÕES DE PROGRAMAR O CÉREBRO?

Esses avanços impressionantes da neurociência da cognição levantam uma questão importante: quantas funções do cérebro humano serão equiparadas ou superadas pelo computador? Segundo Bill Gates, presidente da Microsoft, nenhum de nós viverá o suficiente para ver o dia em que os computadores pensarão e agirão como pessoas. Gates acredita que o cérebro é complexo demais para ser comparado à lógica e aos microcircuitos de um chip. "Ainda não entendemos bem o funcionamento básico do cérebro", diz ele.

Em vez de tentar criar computadores que excedam as capacidades do cérebro, Gates sugere que pensemos neles como ferramenta que pode ter usos inovadores. Assim, é provável que os avanços da informática na próxima década venham a dirigir o aumento das capacidades do cérebro. Nessas colaborações, a velocidade de processamento provavelmente continuará como o maior trunfo do computador. Até agora, mesmo os desempenhos mais impressionantes do computador em competição com o cérebro humano — como a derrota do campeão mundial de xadrez Gary Kasparov pelo Deep Blue, da IBM — dependem da capacidade de a máquina fazer milhões de cálculos por segundo.

À guisa de exemplo do que se pode esperar, Gates fala de computadores que conseguem reconhecer praticamente qualquer tipo de caligrafia, texto, desenho ou anotação. A Microsoft também está desenvolvendo máquinas para responder a gestos. Embora um computador desses possa ser útil para pessoas surdas ou que sofram de outras dificuldades de comunicação, seus criadores já sabem que programá-lo para distinguir um aceno de cabeça de um levantar de ombros é a parte fácil. O difícil será convencer alguém a usar esse sistema, que, de acordo com Gates, "é muito cansativo ao longo do dia".

As tecnologias de implantação oferecem outra maneira de aumentar as capacidades do cérebro. Mesmo que os usuários não as achem cansativas, vão descobrir que são mais caras e mais avançadas que os programas de computador que tentam simular o funcionamento cerebral. Quando implantado no pescoço, o gerador de pulso do sistema virtual de rede, por exemplo, estimula o nervo vago, fazendo-o enviar impulsos elétricos para o cérebro. O aparelho já está em uso para evitar ataques epilépticos e aliviar a depressão. Outros dispositivos implantados à venda no momento diminuem os tremores e as dificuldades de movimento provocados pelo mal de Parkinson.

Nos próximos cinco anos, estimuladores que utilizarão a energia das ondas de rádio devem estar à disposição para ser implantados em pessoas que se beneficiarão de sua capacidade de restaurar parte do movimento em membros paralisados. E daqui a dez anos poderemos ter microchips minúsculos capazes de imitar a ativação de neurônios que têm o potencial de ajudar a recuperar o cérebro e a medula espinhal lesados.

Os avanços mais empolgantes são os implantes que possibilitarão a cegos, e outras pessoas com problemas visuais graves, recuperar a visão funcional. Já mencionei, no capítulo 8, a existência de aparelhos de substituição sensorial protéticos que convertem impulsos de tato em experiências visuais. Outros pesquisadores, como William Dobelle, criador do sistema de visão artificial para cegos do Instituto Dobelle, defendem uma abordagem mais direta: a implantação de eletrodos diretamente nas áreas visuais do cérebro. Como no caso do sistema de Paul Bach-y-Rita, este consiste numa câmera em miniatura montada numa armação de óculos e conectada a um microcomputador. Mas, em vez de a informação ser convertida para estimular a pele, ela ativa o cérebro diretamente. Um paciente, conhecido como Jens e que se tornou cego de ambos os olhos por causa de dois acidentes distintos, recuperou, com o sistema de Dobelle, visão suficiente para manobrar um Mustang em volta do estacionamento situado atrás do laboratório do pesquisador. "A próxima versão talvez tenha resolução suficiente para poder ser usada para dirigir no trânsito", disse Dobelle ao repórter Steven Kotler, que assistiu pessoalmente à façanha de Jens e fez uma reportagem a respeito para a revista *Wired*.

Outros pesquisadores da visão, como o bioengenheiro Richard Normann, da Universidade de Utah em Salt Lake City, estão aperfeiçoando o sistema de Dobelle. Normann reduziu o tamanho do implante, que era semelhante ao de uma moeda, para o de uma cabeça de prego. E, como um prego, ele é "martelado" delicadamente por um aparelho na área cortical em que se processam os estímulos visuais. Quando estiver aperfeiçoado, espera-se que o implante seja suficientemente preciso para estimular neurônios individuais. Ele exigirá uma corrente elétrica menor, diminuindo o risco de estimulação exagerada do cérebro, o que pode provocar convulsões. Menos corrente corresponde a maior resolução visual.

Também estão surgindo implantes capazes de aumentar a própria cognição. Para combater o mal de Alzheimer e outros distúrbios graves de memória, Theodore W. Berger, professor de engenharia biomédica da Universidade do Sul da Califórnia em Los Angeles, está trabalhando num chip de computador que imitará algumas das funções do hipocampo, a minúscula estrutura cortical em forma de cavalo-marinho na qual as memórias são codificadas de início. Berger já criou um modelo matemático das ações dos neurônios no hipocampo de um rato e agora está desenhando circuitos destinados a duplicar essas ações. Planeja implantar os chips no cérebro de ratos ou macacos, e, se tudo der certo, eles vão atuar como uma rede de neurônios do hipocampo.

PODEMOS FAZER, MAS SERÁ QUE DEVEMOS?

Todos esses avanços vêm chamando mais atenção para as questões de "valor" inerentes à pesquisa do cérebro. Muitos dos tópicos que exploramos ao longo deste livro levantam uma miríade de questões éticas.

Quais as implicações de conceitos importantes para nós, como identidade pessoal e singularidade humana, quando aparelhos biônicos implantados forem capazes de restaurar ou melhorar as funções cerebrais? Será que realmente queremos promover mais progressos tecnológicos para descobrir se alguém está mentindo? Devemos apoiar a criação de testes em bebês que possibilitarão prever a capacidade intelectual deles quando adultos? Devemos modificar nossos conceitos de liberdade e responsabilidade pessoal com base na descoberta de que alguns criminosos têm cérebro anormal? Perguntas como essas estão alimentando o desenvolvimento de uma nova esfera de exploração científica: a neuroética.

A neuroética ocupa-se de questões morais e éticas derivadas das novas descobertas científicas relacionadas com o cérebro. Tenta prever e responder às conseqüências sociais de avanços futuros da neurociência. Se uma tomografia puder detectar mentiras de modo confiável, será que pessoas suspeitas de terem cometido crimes devem ser obrigadas a submeter-se a ela? É claro que tais perguntas não são meramente científicas: dizem respeito a muitos dos valores que consideramos importantes em nossa sociedade livre e democrática.

Apesar do valor inquestionável de submeter os avanços neurocientíficos ao exame ético, provavelmente é uma ingenuidade pensar que a neuroética trará respostas instantâneas a assuntos polêmicos. Com certeza, surgirão dilemas neuroéticos que desafiarão nossos esforços mais determinados em conseguir soluções satisfatórias para questões complexas. Considere, por exemplo, a relação entre o abuso infantil e o surgimento posterior de personalidades anti-sociais e violentas.

Há algum tempo os especialistas sabem que as crianças vítimas de abusos têm mais probabilidade que as outras de se tornar violentas ou de mostrar tendências criminosas. Além disso, a idade na época do abuso tem certo papel na previsão de problemas futuros. Em geral, quanto mais nova é a criança submetida a maus-tratos, tanto maior a possibilidade de manifestar problemas de comportamento mais adiante. Mas, de qualquer maneira, o abuso aumenta em cerca de 50% o risco global de criminalidade e/ou violência futura. Mesmo assim, a maior parte das crianças maltratadas não se torna criminosa. Por quê? E como distinguir aquelas que mais tarde demonstrarão propensão para o crime ou para a violência?

É provável que pessoas vítimas de abuso na infância se tornem violentas ou criminosas por causa de fatores de suscetibilidade genética. Em essência, alguns futuros criminosos em potencial podem possuir um ou mais genes que ficam latentes, a menos que sejam "ativados" por maus-tratos. Um gene de particular interesse codifica a enzima monoaminoxidase A, mais conhecida por sua sigla em inglês (MAOA), que degrada vários neurotransmissores do cérebro, entre os quais a norepinefrina (NE), a serotonina (5-HT) e a dopamina (DA), desativando-as. Baixos níveis de MAOA em animais estão relacionados a violência. A eliminação do gene MAOA em ratos torna-os mais agressivos.

A primeira sugestão de um vínculo semelhante entre o gene da MAOA e a violência em seres humanos surgiu de um estudo de 1993 com uma família holandesa. Vários homens nessa família possuíam um gene para MAOA defeituoso (resultando numa deficiência da enzima) e eram dados a explosões de violência. Mas pouco foi feito com essa descoberta fascinante, pois a família era pequena e a mutação genética, extremamente rara.

Em 2002, Terri Moffitt e Avshalom Caspi, ambos do King's College de Londres e do departamento de psicologia da Universidade de Wisconsin-Madison, retomaram a questão da MAOA. Voltaram sua atenção para um estudo que começou em 1972 e acompanhou 1037 crianças desde o nascimento. Como previsto, os pesquisadores concluíram que os meninos submetidos a abusos eram os que tinham maior probabilidade de se tornar violentos ou criminosos na adolescência ou no início da vida adulta. Mas eles conseguiram identificar o comportamento anti-social com precisão maior ainda, concentrando-se em meninos que haviam sofrido abusos e tinham o genótipo para atividade menor da enzima MAOA. Aqueles que apresentavam pouca atividade da enzima MAOA mostraram probabilidade duas vezes maior de manifestar distúrbios de comportamento e três vezes maior de cometer um crime violento por volta dos 26 anos. Ao todo, 55 homens com histórico de abuso e produção reduzida de MAOA constituíam apenas 12% da população em estudo, mas cometeram 44% dos crimes. No entanto, quando não houve maus-tratos, os níveis inferiores de MAOA não deram aos meninos probabilidade maior de ser violentos ou anti-sociais.

Com esse pano de fundo em mente, considere o seguinte dilema neuroético: imagine-se como o juiz responsável por conduzir dois julgamentos de homens jovens, com pouco menos de 30 anos, acusados de crimes violentos. Você descobre que ambos sofreram graves abusos na infância e sabe que essa circunstância aumenta as probabilidades de violência ou criminalidade no futuro. Mas, como a maioria das crianças que sofreram maus-tratos não se transforma em delinqüentes ou criminosos, você conclui que os réus devem assumir plena responsabilidade por seus crimes.

A essa altura, você vem a saber que um dos réus possui o genótipo que indica atividade reduzida da MAOA, enquanto, no outro, a atividade dessa enzima é normal. Será que o prisioneiro com o genótipo defeituoso deve ser considerado menos responsável por seu crime do que o homem com gene normal para a MAOA? Em outras palavras, você deve levar em conta os fatores genéticos suficientemente importantes para questionar a crença tradicional de que as pessoas dispõem de livre-arbítrio e, por isso, têm de ser responsabilizadas por seus atos? Se a resposta for sim, o que você deve fazer? Inocentar o homem com o genótipo correspondente à atividade reduzida da MAOA e pô-lo em liberdade? Ou considerá-lo culpado, mas menos que o outro, e atentar para a informação genética no momento de definir a sentença?

Se você não sabe como resolver esse dilema, não se desespere. Eu também não sei. Falando francamente, não estou certo de que a neurociência obterá as respostas a essas questões éticas. Seja o que for que cheguemos a saber sobre o cérebro, a definição da culpa do autor de um crime sempre envolverá o balanço de múltiplos fatores e uma decisão com base em informações incompletas. A ciência do cérebro não nos dará respostas a problemas que frustraram os melhores esforços de estudiosos da ética, de criminologistas e de filósofos.

Alguém comparou a relação genes-ambiente àquela existente entre uma arma de fogo e o gatilho. Os genes representam a arma carregada, e o ambiente, o agente que puxa o gatilho. Os genes, como as armas, só se tornam ativos sob a influência do ambiente. Portanto, é um erro concentrar-se exclusivamente nos genes ou no ambiente.

"Não se trata apenas do mero resultado de um ambiente negativo, por um lado, ou de genes negativos, por outro", diz António Damásio, chefe do departamento de neurologia do Faculdade de Medicina da Universidade de Iowa. "É um sistema muito complicado este que estamos tentando compreender. Na verdade, enfrentamos um dilema, porque estamos entrando em território desconhecido."

Outro território desconhecido é "toda uma série de biotecnologias que estão sendo incorporadas à nossa própria carne, que vão se tornar parte do que somos", diz o bioeticista Paul Wolpe. E, como Richard Gregory e Paul Bach-y-Rita descobriram em trabalhos com cegos que recuperaram a visão, algumas pessoas que pensavam que iam se beneficiar com as tentativas de ajudá-las podem ter reações emocionais imprevisíveis. Certas intervenções tecnológicas podem até levar a uma revisão fundamental do conceito que a pessoa faz de si mesma.

Kevin Warwick, professor de cibernética da Universidade de Reading, na Inglaterra, tem um chip implantado em seu braço que possibilita aos colegas que trabalham em seu laboratório saberem exatamente onde ele está a qualquer momento. Logo depois do implante, Warwick começou, segundo suas palavras, a se sentir estranhamente conectado ao prédio e ao computador. "Eu estava mais identificado com os sistemas que com o trabalho em meu departamento", diz. Agora ele tem esperanças de convencer sua mulher a implantar um chip no braço e prevê que um dia eles implantarão chips no cérebro para que ambos se comuniquem telepaticamente. Isso não é apenas uma fantasia delirante. Já existe a tecnologia para tornar formas simples de telepatia um objetivo praticável. Mas que mudanças essa façanha neurocientífica trará para a maneira como vemos a nós próprios?

"Precisamos fazer a pergunta mais ampla: qual será o próximo passo da evolução — usando essa palavra em seu sentido comum, e não em seu sentido técnico — e de que forma nós, como espécie, queremos nos conduzir e para quais objetivos?", alerta Wolpe.

Uma coisa é certa: a organização de nosso cérebro passará durante as próximas décadas por mudanças maiores do que em qualquer época da história. E a tecnologia seguirá como a força propulsora por trás dessas modificações. O mais importante é que as transformações promovidas pela tecnologia em nosso cérebro vão continuar nos apresentando o desafio de preservar nossa liberdade e senso de identidade, ao mesmo tempo em que poderemos utilizar técnicas que logo estarão à disposição para expandir imensamente nossos horizontes mentais.

BIBLIOGRAFIA

BACH-Y-RITA, Paul. *Brain Mechanisms in Sensory Substitution*. Nova York e Londres: Academic Press, 1972.

BACH-Y-RITA, Paul; TYLER, Mitchell E.; KACZMAREK, Kurt A. "Seeing with the Brain". *International Journal of Human-Computer Interaction*. No prelo.

BALTER, Michael. "What Makes the Mind Dance and Count". *Science* 292 (1°. de junho de 2001): 1636-1637.

BARBER, Benjamin R. *Jihad vs. McWorld*. Nova York: Times Books, 1995.

BATES, John A. e Anil K. Malhotra. "Genetic Factors and Neurocognitive Traits". *CNS Spectrums: The International Journal of Neuropsychiatric Medicine* 7.4 (abril de 2002): 274-284.

BROWN, W.E.; S. ELIEZ, V. Menon; RUMSEY, J.M., WHITE; C.D.; REISS, A.L. "Preliminary Evidence of Widespread Morphological Variations of the Brain in Dyslexia". *Neurology* 56 (março de 2001): 781-783.

CANLI, Turhan; SIVERS, Heidi; WHITFIELD, Susan L;.GOTLIB, Ian H.; GABRIELI, John D.E.. "Amygdala Response to Happy Faces as a Function of Extraversion." *Science* 296 (21 de junho de 2002): 2191.

CARDOSO, Sylvia H. "Our Ancient Laughing Brain." *Cerebrum* 2.4 (outono): 15-30. Nova York: Dana Press, 2000.

COHEN, R.A.; KAPLAN, R.F.; MOSER, D.J.; JENKINS, M.A.; WILKINSON, H.. "Impairments of Attention After Cingulotomy." *Neurology* 53 (setembro de 1999): 819-824.

CONRAD, Peter. *Modern Times, Modern Places*. Nova York: Alfred A. Knopf, 1999.

DUNCAN, John. "An Adaptive Coding Model of Neural Function in Prefrontal Cortex". *Nature Reviews Neuroscience* 2 (novembro de 2001): 820-829.

ERICSSON, K.A. "Attaining Excellence through Deliberate Practice: Insights from the Study of Expert Performance". *The Pursuit of Excellence in Education,* M. Ferrari (org.), 21-55. Hillsdale, N.J.: Erlbaum, 2002.

__________. "The Path to Expert Golf Performance: Insights from the Masters on How to Improve Performance by Deliberate Practice". *Optimising Performance in Golf,* R.R. Thomas (org.), 1-57. Brisbane, Austrália: Australia Academic Press, 2001.

GEHRING, William J; WILLOUGHBY, Adrian R. "The Medial Frontal Cortex and the Rapid Processing of Monetary Gains and Losses." *Science* 295 (22 de março de 2002): 2279-2282.

GITLIN, Todd. *Media Unlimited: How the Torrent of Images and Sounds Overwhelms Our Lives.* Nova York: Metropolitan Books/Henry Holt and Company, 2001.

GREENE, Joshua D.; SOMMERVILLE, Brian; NYSTROM, Leigh E.; DARLEY, John M.; COHEN, Jonathan D. "An fMRI Investigation of Emotional Engagement in Moral Judgment." *Science* 293 (14 de setembro de 2001): 2105-2109.

HELMUTH, Laura. "Moral Reasoning Relies on Emotion". *Science* 293 (14 de setembro de 2001): 1971-1972.

JOHNSON, Jeffrey G.; COHEN, Patricia; SMAILES, Elizabeth M; KASEN, Stephanie; BROOK, Judith S. "Television Viewing and Aggressive

Behavior during Adolescence and Adulthood". *Science* 295 (29 de março de 2002): 2468-2471.

JUERGENSMEYER, Mark. *Terror in the Mind of God: The Global Rise of Religious Violence*. Berkeley e Los Angeles: University of California Press, 2000.

LEVITIN, Daniel J. "In Search of the Musical Mind". *Cerebrum* 2.4 (outono): 31-49. Nova York: Dana Press, 2000.

MACDONALD, Angus W. III; COHEN, Jonathan D.; STENGER, V. Andrew; CARTER, Cameron S. "Dissociating the Role of the Dorsolateral Prefrontal and Anterior Cingulate Cortex in Cognitive Control". *Science* 288 (9 de junho de 2000): 1835-1838.

MILLER, Greg. "The Good, the Bad, and the Anterior Cingulate". *Science* 295 (22 de março de 2002): 2193-2194.

RANKIN, Catharine H. "A Bite to Remember". *Science* 296 (31 de maio de 2002): 1624-1625.

RAYNER, Keith; FOORMAN, Barbara R.; PERFETTI, Charles A.; PESETSKY, David; SEIDENBERG, Mark S. "How Should Reading Be Taught?" *Scientific American* (março de 2002): 85-91.

SHENK, David. *Data Smog*. Nova York: HarperCollins Publishers, 1998.

SHIDARA, Munetaka; RICHMOND, Barry J. "Anterior Cingulate: Single Neuronal Signals Related to Degree of Reward Expectancy". *Science* 296 (31 de maio de 2002): 1709-1711.

SIMOS, P.G.; FLETCHER, J.M.; BERGMAN, E.; BREIER, J.I.; FOORMAN, B.R.; CASTILLO, E.M.; DAVIS, R.N.; FITZGERALD, M.; PAPANICOLAOU, A.C. "Dyslexia-Specific Brain Activation Profile Becomes Normal Following Successful Remedial Training". *Neurology* 58 (abril dc 2002): 1203-1213.

"What Are the Costs of Multitasking?" *Neurology Reviews* 9.9 (setembro de 2001): 59-60.

1110101011110101011101011000010101000111010100

10111010101111010101111101010011110101001111101

1010000101011100010101110101010001011001110001

11010101001001101011110001011001010111010100010

010010101110101010001010101110101010011101011

10101010101010101010101010101010101010101010101

101010101010101010101010101010101010101010101010

010101010101010101010101010101010101010101010101

10111101011111110001010111101011111010101110101

1110101011110101011101011000010101000111010100

10111010101111010101111101010011110101001111101

1010000101011100010101110101010001011001110001

11010101001001101011110001011001010111010100010

010010101110101010001010101110101010011101011

10101010101010101010101010101010101010101010101

101010101010101010101010101010101010101010101010

010101010101010101010101010101010101010101010101

10111101011111110001010111101011111010101110101

1110101011110101011101011000010101000111010100

10111010101111010101111101010011110101001111101

1010000101011100010101110101010001011001110001

11010101001001101011110001011001010111010100010

010010101110101010001010101110101010011101011

10101010101010101010101010101010101010101010101

101010101010101010101010101010101010101010101010

010101010101010101010101010101010101010101010101

10111101011111110001010111101011111010101110101

1110101011110101011101011000010101000111010100

10111010101111010101111101010011110101001111101

1010000101011100010101110101010001011001110001

11010101001001101011110001011001010111010100010

010010101110101010001010101110101010011101011

10101010101010101010101010101010101010101010101

101010101010101010101010101010101010101010101010

010101010101010101010101010101010101010101010101

10111101011111110001010111101011111010101110101

ÍNDICE REMISSIVO

A

F

G

K

L

N

O

P

R

S

T

U

V

Veja outras publicações da Editora Gente

1. *O beijo na realidade – Caia na real: abrace a sua verdade e conquiste o mundo*
   José Luiz Tejon

2. *Casais inteligentes enriquecem juntos – Finanças para casais*
   Gustavo Cerbasi

3. *As coisas boas da vida*
   Anderson Cavalcante

4. *Heróis de verdade – Pessoas comuns que vivem sua essência*
   Roberto Shinyashiki

5. *Mentes inquietas – Entendendo melhor o mundo das pessoas distraídas, impulsivas e hiperativas*
   Ana Beatriz B. Silva

6. *Mulheres ousadas chegam mais longe – 101 erros inconscientes que atrapalham a sua carreira*
   Lois P. Frankel

7. *Organize-se – Soluções simples e fáceis para vencer o desafio diário da bagunça*
   Donna Smallin

8. *Pedagogia do amor – A contribuição das histórias universais para a formação de valores das novas gerações*
   Gabriel Chalita

9. *Pegadas – Descubra por que fazer a travessia traz abundância nos negócios e na vida*
   Roberto Adami Tranjan

10. *Qual é o seu lugar no mundo?*
    Leila Navarro

11. *Quem ama, educa!*
    Içami Tiba

12. *A religião do cérebro – As descobertas da neurociência a respeito da fé humana*
    Raul Marino Jr.

13. *O terapeuta de bolso – Respostas inspiradoras às perguntas mais comuns na terapia individual*
    Susanna McMahon

14. *Viva como você quer viver – 5 passos para a realização*
    Eduardo Shinyashiki

15. *Você é do tamanho de seus sonhos – Estratégias para concretizar projetos pessoais, empresariais e comunitários*
    César Souza